Le Japon des Japonais

Philippe Pons et Pierre-François Souyri

Le Japon
des Japonais

Liana Levi - Seuil

Direction éditoriale : Donatella Volpi
Conception graphique : Studio Cancelli - Milan
Photographies : Paola Ghirotti

*Pour le japonais, nous avons utilisé le système de transcription dit Hepburn modifié.
Sauf dans le glossaire, nous n'avons cependant pas reproduit les voyelles longues
pour ne pas surcharger le texte : ainsi Tokyo et non Tôkyô.
Selon l'usage japonais, le nom de famille précède le prénom.*

Crédits photographiques :
Toutes les photographies qui illustrent ce livre sont
de Paola Ghirotti, excepté les suivantes :
pages 68, 69, 75, 76
(Giuseppe Carfagna - Giuseppe Carfagna & Associati)

Le choix des photographies revient à l'éditeur.

Sommaire

Le dépays

Les peuples sont rarement ce que l'on dit qu'ils sont. L'étranger, a fortiori s'il vient d'une civilisation radicalement différente, dérange nos certitudes et l'on s'empresse de le ramener à nos catégories, de l'intégrer à notre vision du monde en évaluant ses mœurs à l'aune de nos références. Contrairement à la Chine de Mao, le Japon n'a pas suscité d'utopie politique – avec ce que cela a comporté de dérives. Dans son cas, les errements ont été d'un autre ordre : des archétypes de comportements supposés refléter un « esprit japonais » ont obscurci l'approche en évacuant l'histoire au profit de prétendus invariants culturels.

Rarement un peuple aura suscité autant de clichés et de poncifs. Aussi, en arrivant dans l'archipel, faudra-t-il commencer par se vider la tête : oublier que le Japon serait une « société de consensus », que les Japonais seraient des « drogués de travail », qu'ils se suicideraient à tour de bras, que les femmes y seraient « soumises », que la démocratie aurait commencé avec l'occupation américaine et que, si ce pays change, il ne peut que converger vers nos modèles de société. Bref, il faudra s'essayer à « dépayser » sa pensée, comme y invite François Jullien pour la Chine, à rompre avec des réflexes assimilateurs pour s'ouvrir à d'autres manières d'être au monde avant de les juger.

Les Japonais sont d'autant plus déroutants qu'ils nous sont, a priori, proches par leur modernité : tout (vêtements, infrastructures, modes de vie) nous est familier – sans l'être. Et c'est précisément en cela que l'appréhension d'équilibres sociaux et de cohérences mentales différents est difficile : il se forge au Japon une modernité, certes émule de la nôtre, mais déprise aussi de son « modèle ». À l'extrême, ce Japon nous dépossède du monopole de modernité que nous pensions avoir. En cela, il est un « dépays », selon la jolie expression du cinéaste Chris Marker. Le caractère contingent de notre propre modernité : voilà ce que le Japon nous permet d'entrevoir.

Dérouté par cette « modernité exotique », on sera tenté d'opposer « tradition » et « modernité ». On trouvera les Japonais « américanisés » et l'on traquera ce qui survit dans leurs mœurs du Japon des estampes. Mais l'opposition tradition/modernité est une fausse question. Celle à laquelle nous convient les Japonais est plutôt : comment peut-on être moderne sans être occidental ?

La tradition que nous traquons est certes un héritage d'usages et de coutumes, mais elle s'exprime plus encore dans des manières d'être sous-jacentes, discrètes, dans un rapport à la vie, à l'autre, à la nature ou au corps qui perdurent au-delà de ses expressions artistiques ou de pratiques fossilisées, estampillées « traditionnelles ». Elle est moins à chercher dans ce qui résiste à la modernité, dans des coutumes ou des formes qui bravent le temps que dans de petits faits de la vie ordinaire : une mémoire en acte.

Ce que les comportements des Japonais aujourd'hui nous convient à comprendre, c'est comment une modernité peut se construire sur un socle culturel différent de celui de l'Occident. La modernisation n'a pas ici introduit de hiatus entre les coutumes anciennes et contemporaines : soit les pratiques modernes se nourrissent du passé, soit les plus anciennes se mâtinent de modernité.

Mais, nous objectera-t-on, c'est en s'ouvrant à l'Occident au milieu du XIXe siècle et en le « copiant » que les Japonais ont basculé dans la modernité. Sans doute. Mais ce n'est pas si simple. Le contact avec l'Occident fut un déclencheur : l'accoucheur d'une proto-modernité forgée au cours des siècles précédents. Sans minimiser l'impact des emprunts du Japon à l'étranger (en termes de techniques ou de catégories de pensée), la modernité japonaise est le fruit d'une histoire cumulative plus que d'une simple occidentalisation.

L'ère Meiji (1868-1912), c'est-à-dire le règne de l'empereur passé à la postérité sous ce nom, a été une époque de profonds bouleversements politiques, économiques, sociaux. Mais elle ne faisait pas suite à des siècles d'obscurantisme « féodal ». Le Japon des shoguns Tokugawa (dynastie de chefs militaires) qui, sortis vainqueurs de guerres entre les grands feudataires, avaient pris le pouvoir au début du XVIIe siècle, était certes, deux siècles plus tard, en retard sur l'Occident en termes de systèmes politique et économique. Mais il n'était pas en retard du point de vue « civilisationnel ».

Une ville comme Edo (ancien nom de Tokyo) comptait au début du XIXe siècle plus d'un million d'habitants – autant que Londres à l'époque ; le taux d'alphabétisation était comparable à celui de l'Europe et était apparue une culture urbaine, populaire, volontiers hédoniste, affranchie de l'esthétique alambiquée de l'aristocratie et débarras-

Jeux de gamins. Américanisés ? Pas vraiment. Ces jeunes Japonais sont les enfants d'un pays moderne qui n'est pas pour autant occidental.

*Couleurs d'automne dans
un jardin à Fukuyama
(département de Hiroshima).*

sée aussi d'un certain pessimisme véhiculé par le bouddhisme. Une culture bouillonnante qui fleurissait dans le théâtre et le roman.

L'essor des transports et du commerce avait donné naissance à un puissant capitalisme marchand, suffisamment élaboré pour pratiquer par exemple le commerce de gros et la lettre de change. Quant à l'artisanat, en polissant ses techniques jusqu'à la perfection, il préparait les mentalités à l'arrivée des techniques modernes.

Grâce enfin aux « études hollandaises », c'est-à-dire aux ouvrages européens qui étaient importés et parfois traduits par le comptoir hollandais de Nagasaki, les lettrés japonais ont pu avoir connaissance – malgré la fermeture du pays décrétée par le shogun au début du XVIIe siècle – des éléments les plus avancés des sciences occidentales. C'est sur ce « socle » autochtone que s'opéra la modernisation lorsque l'archipel fut contraint de s'ouvrir sous la menace étrangère et que ses dirigeants comprirent que la seule manière de résister à l'Occident était d'adapter ses « recettes » de puissance.

Ce complexe processus de modernisation, qui fera du Japon, au début du XXe siècle, le premier pays non occidental à établir un rapport de force suffisant avec les grandes puissances (sa marine coula la flotte russe en 1905), s'est longtemps conjugué à l'ignorance dans laquelle fut tenu le pays par l'Occident. Une ignorance, compensée par une floraison de clichés tenant lieu de connaissance, qui durera jusqu'à la guerre du Pacifique. À la veille du conflit, par exemple, les Américains ne connaissaient guère leur ennemi : leur « bible » allait être le livre d'une anthropologue, Ruth Benedict, *Le Sabre et le chrysanthème*, rédigé sans avoir mis les pieds au Japon à partir de témoignages de Nippo-Américains internés dans les camps aux États-Unis. Ce livre sera après-guerre une intarissable source à poncifs qui, comme tels, sont à moitié vrais et à moitié faux. Ce n'est que par la suite que la recherche anglo-saxonne sur le Japon devint l'une des grandes sources de connaissances en sciences humaines sur ce pays. Bien qu'il existe aussi en France des ouvrages de référence, ils sont trop souvent éclipsés par une littérature facile dont un dernier avatar est le roman à succès d'Amélie Nothomb, *Stupeur et tremblements* (Albin Michel) : récit des déboires d'une étrangère dans une entreprise nippone, élevé au rang de « document sociologique » par la critique…

Il y a plusieurs matrices aux idées simplistes des Occidentaux sur les Japonais. Tout d'abord, en toile de fond, la vision un peu mièvre héritée du japonisme et du goût pour les « japoniaiseries » que suscita l'engouement des impressionnistes pour les choses japonaises. C'est à travers le prisme du « Japon bibelot » que s'est formé le stéréotype de l'opposition entre tradition et modernité qui

Gravure de 1870 (Guide illustré de Yokohama) sur laquelle figurent les noms des quartiers et des îlots, le pont Yoshidabashi.
Une partie des terrains leur fut cédée en concession pour y édifier des résidences et des maisons de commerce.
La ville connut par la suite une fulgurante prospérité.
Avec 3,5 millions d'habitants, Yokohama fait aujourd'hui partie de l'immense conurbation de Tokyo.

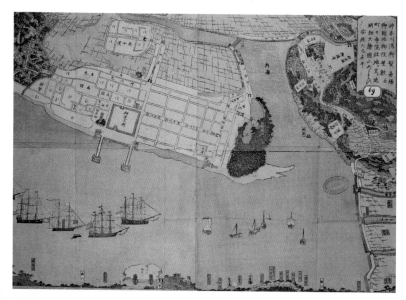

Petit jizo de pierre recouvert de mousse dans le jardin d'un temple. Jizo, un bodhisattva, est le personnage du panthéon bouddhique le plus cher aux Japonais. Son image la plus répandue est celle d'un moine au visage doux et au crâne rasé vêtu d'une longue robe et tenant une canne.

se poursuit aujourd'hui. Perdure surtout l'ombre de deux archétypes incontournables : la geisha et le samouraï.

Geisha : rarement un mot aura été plus galvaudé et peu de figures féminines auront suscité autant de commentaires superficiels, moralisateurs ou enflammés de féministes courroucées. Séductrice exotique, experte en plaisir, soumise aux caprices du mâle et finalement, femme de petite vertu derrière son apparat, la geisha figure en bonne place dans notre galerie des « mystères de l'Orient ». Or, nous le verrons, elle n'est rien de tout cela.

Si la figure de la geisha s'inscrit dans la perception du Japon bibelot sur le registre de l'« érotisme asiatique », celle du samouraï a eu un effet plus pernicieux dans sa grandiloquence guerrière en faisant croire qu'il serait la quintessence d'un « esprit nippon ».

Bien que le samouraï reste une figure archétypale de l'imaginaire national, comme en témoignent le succès des feuilletons d'époque à la télévision et tout un pan de la littérature populaire contemporaine, il est loin d'incarner l'« âme japonaise ». Les coutumes et les valeurs de figures moins tonitruantes (le paysan, l'artisan, le marchand), qui seront redécouvertes au début du XXe siècle grâce au travail du folkloriste Yanagida Kunio (1875-1962) et au mouvement des arts populaires (*mingei*), sont en revanche à l'origine des microattitudes qui ont la « permanence de l'insignifiant »

et perdurent sans être ressenties par les Japonais comme traditionnelles, tant elles font partie d'une sorte d'« architecture de l'esprit ».

La souveraineté culturelle du samouraï, symbole de vaillance, d'honneur et d'allégeance – le *seppuku*, suicide par éventrement, de l'écrivain Mishima Yukio en 1970 attestera aux yeux de l'étranger que son « es-

prit » restait bien vivant – a faussé l'image des Japonais en voilant les valeurs et les traditions des autres couches sociales aussi importantes, sinon plus, que celles du guerrier dans la formation de la culture japonaise.

Cette élévation de la figure du samouraï au rang d'incarnation d'une « âme japonaise » fait partie du processus d'« invention de la tradition » opéré à l'époque Meiji lorsque, confrontés à la menace occidentale, ses dirigeants cherchèrent à donner à la population des représentations de soi susceptibles d'étayer un sentiment d'identité nationale. C'est l'époque du fameux slogan : « technique occidentale, esprit japonais ». En d'autres termes, emprunter à l'étranger en conservant une « âme » japonaise.

Le processus de « samouraïsation » de la société s'est conjugué à un « façonnage » de ce qui devait être considéré comme la tradition nationale. Si bien que ce que l'on nomme aujourd'hui « la tradition » date, dans ses formes actuelles, de l'époque Meiji. Prenons le kabuki. Une grande expression théâtrale populaire certes mais dont Meiji fit une sorte de théâtre « shakespearien » en gommant du répertoire toute une dimension hédoniste,

Bus scolaire. Le niveau d'éducation au Japon est considéré comme l'un des meilleurs du monde.
Il s'appuie sur une longue tradition d'enseignement qui remonte à l'époque Tokugawa et qui est sans doute un des éléments du succès de la modernisation.

Femme dans une culture de perles à Iki Island, Kyushu.

érotique, voire subversive qui reflétait les aspirations, les joies comme les révoltes du monde populaire dans lequel il était né.

À la « bimblotérisation » du Japon (Gérard Siary), opéré par le japonisme et ses épigones dans l'exotisme, succéderont à partir des années 1930 les images nourries par le militarisme. Le Japon « fasciste » efface le Japon « charmant ». Avec ses excès et ses dérives (l'idéologie du « péril jaune » par exemple), la vision du Japon se dépouille de ses fantasmagories esthétisantes – qui renaîtront gaillardement après la guerre. Les Japonais commencent à avoir un peu plus de consistance. Dans son premier livre (réédité sous le titre *La Guerre au Japon*, Stock), Robert Guillain écrit du Japon de 1942 : « Quels étranges malentendus a toujours engendrés ce pays ! On nous l'avait peint au pastel, nous le faisons petit, minaudant et mièvre, alors qu'il est dans ses mouvements de masse, bruyant, désordonné, capable d'une brutalité carnassière et tout éclatant, quand il se laisse aller, d'une vie débordante et d'une truculence débraillée ».

La seconde matrice des clichés entretenus par les étrangers sur les Japonais date des années 1960 et du début du « miracle » économique : le doublement du produit intérieur brut en dix ans qui fera du Japon vaincu la deuxième puissance économique du monde. Sur la toile de fond des clichés séculaires vont alors s'en greffer d'autres – le plus souvent sous forme de déclinaisons « modernes » des précédents. La perception va osciller désormais entre « modèle » et « repoussoir » : les jugements et les opinions l'emportent sur la connaissance. Le Japon devient la Chimère de l'Occident.

À l'occasion de l'Exposition universelle d'Osaka (1970), le journaliste Jean-François Delassus retire de ce pays une « vision du futur morne et sinistre, déprimante ou angoissée ». Mais le succès économique aidant, on va passer à l'utopie post-moderniste, au Japon « laboratoire du futur » et creuset d'un nouveau capitalisme. Les artisans en seront cette fois les experts en gestion censés décortiquer les rouages du « management à la japonaise » en épinglant des spécificités d'autant plus spécifiques qu'ils les assortissent de quelques vocables nippons pour en attester le « mystère » : des mots qui vont créer des mythes. C'est l'époque du « *Japon médaille d'or* » (titre français d'un best-seller du sociologue américain Ezra Vogel), et des dithyrambes divagants sur la réconciliation du capital et du travail qu'opérerait le Japon. Des clichés auxquels patronat et ambassades du Japon œuvrèrent activement : cette image-reflet venue de l'étranger confortait le mythe d'un pays de paix sociale, ayant su évincer la « lutte de classe » pour faire du salarié un « homme de l'organisation ».

À partir des années 1980, cependant, le discours occidental se renverse. Au service des intérêts de Washington qui voulait forcer l'ouverture du

Le parc maritime de Kasai (Kasai Rinkai Koen) à Tokyo, projet de l'architecte Yoshio Taniguchi, montre d'extraordinaires effets d'eau.

*Vendeuse de légumes
à Takayama
(département de Gifu).*

*Page de droite : Enfants
à Tokyo.*

marché japonais, c'est la déferlante « révisionniste » : de positifs, les clichés tournent au négatif. Les Japonais ne sont plus « impénétrables », ils « trichent » au grand jeu de la concurrence. Le Japon est un pays « différent » (de nous, Occidentaux) et ne peut changer que sous la pression extérieure. C'est l'époque du *Japan bashing* (le matraquage du Japon) dont un tenant sera le journaliste Karl van Wolferen avec son livre *L'Énigme du pouvoir* (Laffont), nouvelle « bible » dévalorisante du Japon. Le plus souvent affligeante par ses simplifications, cette littérature a nourri la « nippophobie » des années 1980.

Avec le ralentissement de la croissance japonaise, qui commence au début des années 1990, le triomphe du libéralisme anglo-américain puis la récession, l'image du Japon se noircit davantage : le modèle est en miettes et, sans coup férir, du pays qui achetait le monde, nos « experts » – souvent ceux-là mêmes qui avaient fait du Japon l'icône de l'avenir – passent à son « naufrage ». Les analystes des marchés, qui tiennent le haut du pavé de l'image de l'archipel, font oublier dans leur myopie péremptoire de statisticiens que si, effectivement, l'économie s'enlise, la société reste en mouvement et vit des mutations profondes qui préparent l'avenir.

Lorsqu'à l'âge classique, l'Europe entra en contact avec la Chine, elle découvrit une civilisation « consistante » qui était à biens des égards comparable à la sienne. Pour la première fois, elle était confrontée à d'autres manières d'être au monde, à d'autres manières de penser – rien moins qu'à une « autre humanité » (Jacques Gernet) et elle essaya de comprendre. L'horizon intellectuel du monde européen commença à s'élargir sous l'égide des jésuites de Macao au point que la Chine mythifiée devint pour les philosophes des Lumières un prétexte à critiquer les abus de l'Ancien Régime. Une disponibilité d'esprit à l'altérité qui semble manquer sérieusement aujourd'hui à l'Occident.

L'évolution du monde au cours des cinquante dernières années, dont la « mondialisation » des marchés n'est qu'un moment, a aplani des différences, homogénéisé des comportements. Jusqu'à un certain point. S'ils changent, pense-t-on, les Japonais ne peuvent que converger vers un supposé « modèle » européen ou américain. Ce qui est moins que sûr. Modernes mais adossés à un héritage historique qui leur est propre, les Japonais n'ont jusqu'à présent que partiellement adopté dans leurs rapports sociaux des modèles occidentaux. Dans leur résistance à la déferlante néo-libérale qui a suivi l'effondrement de l'URSS, ils paraissent avoir perdu la main, être à la traîne de l'Occident. Et puisque leur économie va mal, ils ne nous concernent plus – comme si les recettes de « profitabilité » étaient la seule chose qu'ils pouvaient nous apprendre. Or, les Japonais ne sont pas que des sujets passifs dans la construction de la modernité du XXIe siècle mais bel et bien partie prenante.

Homogénéité et diversités

Insulaires

Ouverts

Divers

Jeunes mais pas trop

Parfois venus d'ailleurs

Aux marches de l'Empire

Est ou Ouest

Citadins des mégalopoles

Les Japonais disent souvent d'eux-mêmes qu'ils sont un peuple homogène. Du point de vue ethnique, il ne fait pas de doute que la société japonaise l'est plutôt. Mais, pour originale qu'elle soit, la civilisation nippone est comme toutes les autres le produit de métissages, d'hybridations, de mélanges. Deux grandes « greffes » culturelles se sont produites au cours des siècles : d'abord, au VIIᵉ, en provenance de la Chine puis, au XIXᵉ, venue de l'Occident. Cependant cela ne signifie pas que le Japon a perdu une identité propre : les Japonais ont si bien assimilé et remanié ces apports que, dans bien des cas, ils n'ont plus conscience qu'ils ont des origines étrangères. Ainsi, certaines idées « occidentales », comme la liberté ou les droits, sont tellement enracinées dans l'archipel qu'il serait impossible de les en extirper. En revanche, d'autres notions très japonaises, telle que celle de *kokoro* (le « cœur », dans le sens large de sensibilité), une dimension affective importante dans les relations humaines, résistent à la modernisation et assurent une continuité sur le registre de l'affectif.

Bien que l'histoire du peuplement de l'archipel reste sujette à débats, il prévaut chez les Japonais un fort sentiment d'identité culturelle qui les a longtemps incités à ranger toute personne venue d'ailleurs dans la catégorie *gaijin* (étranger), pour ne lui conférer qu'ensuite – et accessoirement – une nationalité. Les mentalités ont certes évolué, mais demeure chez les Japonais un sentiment profond d'altérité et d'intérêt pour ce que l'on pense d'eux. Après les politesses d'usage viendra la question « Que pensez-vous du Japon ? »

Insulaires

L'originalité de la civilisation japonaise s'explique en partie par son insularité : à l'extrême du continent asiatique, l'archipel fut protégé par la mer sans toutefois que celle-ci l'isole. Par l'entremise de la péninsule coréenne, le Japon se trouva en outre dans la sphère d'influence de la civilisation

chinoise (et il en importa, entre autres, les idéogrammes, le confucianisme et le bouddhisme), en
évitant néanmoins – grâce à la mer – d'être dans
une situation de dépendance.

Sa position épargna au Japon de nombreuses in-
vasions qui en revanche ravagèrent le voisin
coréen, à commencer par celles des Mongols.
Rempart, la mer fut aussi un lien et, du XVe au
XVIIe siècles, les Japonais furent de grands naviga-
teurs (de grands pirates aussi…), sillonnant les
mers d'Asie depuis les ports de Hakata (Fukuoka)
ou de Sakai, ouvrant des comptoirs à Luçon, à
Ayuthia au Siam ou même à Java. Ils firent de l'archipel une des grandes puissances marchandes de
l'Extrême-Orient, avant et après l'arrivée des Portugais. Une civilisation certes tributaire d'emprunts
mais non asservie à un modèle put s'y développer.
Le sentiment d'insularité fut considérablement
renforcé par la fermeture du pays (1638-1854) à
l'époque des shoguns Tokugawa. L'idéologie de
l'ère Meiji visant à renforcer la cohésion nationale face à la menace représentée par l'Occident
et enfin la propagande ultra-nationaliste et le co-
lonialisme (à Taiwan, en Corée et en Mandchourie) contribuèrent à façonner le sentiment d'une
spécificité, voire d'une unicité culturelle.

*Archipel comptant environ
6 000 îles et îlots, le Japon
marie étroitement la mer
et la montagne.*

Ouverts

Depuis la défaite de 1945, le Japon est ouvert – plus que jamais aujourd'hui – et la présence d'étrangers dans l'archipel est plus forte (quoique encore faible par rapport aux pays occidentaux: guère plus que 4 millions sur une population de 127 millions). Mais les Japonais n'en ressentent pas moins fortement leur appartenance culturelle. Ce qui ne signifie pas qu'ils soient chauvins ou nationalistes: même les plus critiques à l'égard de leur pays se sentent profondément japonais. La condescendance avec laquelle l'étranger les traite souvent (de l'arrogance de Washington qui a tendance à considérer Tokyo comme un vassal, aux sorties de l'ex-Premier ministre Édith Cresson qui les qualifia de «peuple de fourmis», en passant par les leçons de libéralisme anglo-saxonnes), n'est pas faite pour amenuiser ce sentiment d'altérité.

Celui-ci n'est cependant pas uniquement réactif. Il tient aussi à la conscience qu'ont les Japonais des particularités de leurs modes de vie. Le succès d'une prolifique littérature sur le thème «Qui sommes-nous?» est symptomatique de la quête de soi qui les tenaille. Les *Nihonjin-ron*, «essais sur les Japonais», semblent répondre à cette quête

JAPONOLOGIE

Les *Nihonjin-ron* ressassent des poncifs récurrents que les Japonais entretiennent sur eux-mêmes et ce qui les distinguerait des autres peuples : la symbiose avec la nature, la spécificité irréductible de leur langue, l'influence du climat sur le caractère national… Plus intuitifs qu'argumentés, ces livres sont moins intéressants par leur contenu que par la demande qu'implique leur succès : traquer une supposée inaltérable « japonicité ». Ce genre de littérature apparue dès la fin du XIXᵉ siècle a connu un énorme succès dans les années 1970-1980.
La crise de la décennie suivante a semble-t-il réduit l'engouement pour ces essais dont historiens, anthropologues ou économistes japonais ont montré le manque de sérieux.

d'identité nationale et culturelle devenue un phénomène de narcissisme collectif aux proportions rarement atteintes ailleurs.

En dépit de l'homogénéité ressentie par les Japonais eux-mêmes, la société nippone est, comme toutes les autres, complexe, diversifiée, mobile et traversée de tendances contradictoires. C'est une généralisation trompeuse de dire les Japonais, comme d'ailleurs les Français. Il y a des Japonais ou des Français. Il suffit de prendre un métro jusqu'en bout de ligne pour constater combien les voyageurs changent dans leur tenue vestimentaire, leur allure ou leur langage au fur et à mesure que l'on s'éloigne du centre et que l'on se dirige vers les quartiers modestes ou les banlieues. Il suffit de sortir de Tokyo pour mesurer l'importance des appartenances régionales. Les Japonais savent rapidement reconnaître à un accent, à une expression dialectale, l'origine de leur interlocuteur et le *furusato*, l'amour du pays natal, est un thème récurrent des chansons populaires. En dépit de leur

Le train à grande vitesse (Shinkansen) a été inauguré à l'occasion des Jeux olympiques de 1964 sur la ligne Tokyo-Osaka. Il existe aujourd'hui 5 lignes de TGV qui desservent le Nord, le Sud et l'Est de l'archipel. Chaque jour ces trains à grande vitesse transportent 762 000 voyageurs sur l'ensemble de leur réseau. En 2003, un prototype à lévitation magnétique a atteint la vitesse de 560 km/h.

sentiment d'identité face à l'étranger, les Japonais sont donc loin de se sentir semblables.

Le Japon de la Haute Croissance économique, qui a débuté dans les années 1960, a vécu sur un « mythe » : le sentiment qu'avait la majorité d'appartenir à la « classe moyenne ». Plusieurs facteurs ont suscité cette illusion. Il y avait certes des riches et des pauvres, des privilégiés et des défavorisés mais, en gros, chacun voyait son niveau de vie s'améliorer. Malgré un éventail des salaires relativement réduit, le sentiment de faire partie d'une classe moyenne tenait surtout à l'accès de la majorité aux produits de consommation de masse et à la diffusion des modèles culturels du conformisme « petit-bourgeois » qui l'accompagnaient. La société japonaise des années 1960-1970 avait certes ses contestataires (les étudiants dont les luttes furent spectaculaires ou les victimes des maladies de la pollution) mais la majorité « nageait » dans le courant de l'expansion, y trouvant son avantage matériel. La mobilité sociale et l'espoir de s'en sortir aiguillonnaient les volontés.

Cette illusion d'appartenir à la classe moyenne, cultivée par des gouvernants qui y voyaient un facteur de stabilité sociale, a volé en éclats avec la « bulle spéculative » de la fin des années 1980.

Celle-ci a propulsé certains au zénith de la richesse et d'autres dans l'indigence. Mais la crise économique et sociale dans laquelle est entré le Japon au début des années 1990 a aussi provoqué un immense appel d'air. Il suffit de se promener dans les rues pour s'en apercevoir.

Divers

L'image cultivée en Occident de la foule japonaise dominée par la grisaille de ses salariés en costume foncé est largement dépassée. La rue des grandes villes du « Japon en crise » est infiniment plus colorée et diversifiée qu'elle ne l'était dans les années 1960-1970. Par ses femmes évidemment, d'une élégance souvent apprêtée. Mais pas seulement. Dans les rues des quartiers branchés de Tokyo, Shibuya ou Harajuku, c'est le jusqu'au-boutisme dans l'originalité du « look » et, en ce début du nouveau millénaire, Tokyo tend à détrôner Londres comme capitale de la mode dans la rue par une « défonce » dans le vêtement sans égale ailleurs.

Le nouveau Japon en train de naître sera une société plus mobile, plus diversifiée, plus fragmentée. Plus injuste aussi. Le rétrécissement de l'éventail des chances de la majorité, avec pour pendant une accentuation du phénomène de « reproduction des élites », tend à réduire les espoirs de promotion sociale.

Depuis la fin des années 1980, les disparités de revenus s'accroissent et la stratification sociale se renforce, s'accompagnant d'une diversification des modes de vie. Entre 1979 et 1999, le Japon a connu un élargissement de l'écart des revenus plus marqué qu'aux États-Unis et, au cours de la décennie 1990, avec l'évolution du marché du travail, les laborieuses restructurations de l'appareil productif n'ont fait qu'accroître les inégalités sociales.

Pour la première fois depuis les années 1960, sont apparus dans les rues des grandes villes des sans-abri, témoins à charge de la rupture du « pacte social » de Japan Inc., le Japon de la croissance des années 1960-1980. Lors de la préparation des Jeux

DIVERSITÉ DE LA RUE

L'impression dominante de la rue est celle de la légèreté, de la mode *casual* : vêtements qui apportent le confort, négligé étudié pour les plus jeunes et souci de recherche désinvolte des vingt-trente ans. « C'est la tranche d'âge où la diversité des comportements et des styles est la plus grande », souligne Fujiwara Mariko, du département de recherche sur les modes de vie de l'agence de publicité Hakuhodo. « Une diversité qui tient à la multiplicité d'expériences de cette génération : la plupart a changé de travail une ou deux fois. Ils ont dû se prendre en main, ce qui les a rendus plus autonomes. Ce sont aussi les enfants d'une société riche, sensibles aux modes et à leurs rotations ultra-rapides au Japon ».

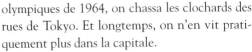

... PAYS VIEILLISSANT

Le Japon est le pays au monde où l'on vit le plus vieux (85 ans pour les femmes et 78 ans pour les hommes) mais c'est aussi l'un des pays qui vieillit le plus vite. Le pourcentage de Japonais de plus de 65 ans est passé en trente ans de 7 % en 1970 à 19 % en 2003. En 2010, cette tranche d'âge devrait représenter 22 % de la population. Inversement, on assiste à un recul de la natalité : 1,32 enfant par femme (un taux de fertilité parmi les plus bas du monde). Une évolution démographique inquiétante.

Ci-dessous : Deux femmes âgées à Tokyo.

Page de droite : Un groupe de personnes attend au feu rouge dans une rue de Tokyo, à Ginza.

olympiques de 1964, on chassa les clochards des rues de Tokyo. Et longtemps, on n'en vit pratiquement plus dans la capitale.

En grande majorité âgés de plus de cinquante ans, ils étaient en 2003 encore relativement peu nombreux au regard des SDF aux États-Unis : de 25 000 à 30 000 sur 126 millions d'habitants.

Ils ne mendient pas. Leurs silhouettes errantes font partie du paysage urbain : misérables ou dignes dans leur dénuement, les pauvres arpentent les villes avec leurs sacs de hardes ou leurs caddies. Ils peuplent de leurs tentes ou de leurs cartons les parcs et les berges à Tokyo ou à Osaka.

Jeunes mais pas trop

La foule japonaise donne encore une impression de jeunesse et pourtant celle-ci est démographiquement en recul : les statistiques indiquent un déclin de la natalité et un vieillissement rapide de la population qui pèseront de plus en plus sur l'évolution sociale et économique du pays (diminution de la population active, augmentation des dépenses de santé, financement des retraites). Le vieillissement est l'un des problèmes les plus graves auquel est confronté le Japon et il est à l'origine de nouvelles disparités sociales. La disparition de la famille traditionnelle au sein de laquelle les parents avaient leur place exige la mise en place d'un système de prise en charge des personnes âgées alors que la dette publique s'alourdit (160 % du produit intérieur brut en 2005).

Les alarmistes soulignent les effets néfastes de ce vieillissement sur la croissance. D'autres estiment que cette évolution va créer de nouveaux besoins et appellera de nouveaux services. Ce déplacement du centre de gravité de la structure démographique pourrait se traduire par un nouveau marché, celui du troisième âge, et modifier le système de l'emploi. L'âge légal de la retraite est 60 ans au Japon. Mais plus de la moitié des hommes de plus de 65 ans sont actifs et près de 40 % des inactifs désireraient faire quelque chose. Des chiffres qui donnent à penser que pour les Japonais, contrairement aux Occidentaux, la retraite anticipée n'est pas plus souhaitée que la retraite inactive. Si l'insuffisance des pensions entre en compte, se manifeste aussi un souci de rester dans un univers socialisé.

Parfois venus d'ailleurs

L'évolution démographique pourrait conduire à un autre important changement dans la société japonaise : l'ouverture de ses frontières à un plus grand nombre d'immigrants. Une question qui divise l'opinion : selon une enquête du gouvernement de février 2001, 49,2 % des personnes interrogées désapprouvent la présence d'étrangers (contre 40 % dix ans auparavant). Pourtant, le Japon s'aperçoit qu'il manque de spécialistes, notamment dans le domaine des technologies de l'information. Il envisage de faire venir 30 000

VENUS « FAIRE DU YEN »

Le Japon a une politique d'immigration très restrictive. Au cours de la décennie 1990, l'augmentation d'étrangers venus « faire du yen » a été notable. Non seulement des pays pauvres de la région (Bangladesh, Chine, Inde, Philippines) mais aussi du Moyen-Orient (Iran en particulier), les Chinois représentent 40 % du total. En 1993, il y a eu jusqu'à 300 000 clandestins employés illégalement au Japon. La récession s'est traduite par une chute de la demande en main-d'œuvre. Conjuguée à la multiplication des expulsions, suite à une hausse des délits commis par des étrangers (+ 8 % en un an en 1999), la crise a fait baisser le nombre d'immigrés illégaux.

LES AÏNOUS

Populations de chasseurs-pêcheurs de culture non japonaise, les Aïnous ont longtemps été considérés comme des populations barbares par les Japonais. Ils n'en ont pas moins développé une culture originale qu'on désigne aujourd'hui sous le terme de civilisation aïnoue. Ils pratiquaient déjà vers le XIIIe siècle un début d'agriculture. Ils ont développé aussi une littérature orale transcrite récemment en japonais.
Le mouvement de colonisation japonaise, amorcé dès le XVIe siècle dans le Sud de Hokkaido (autour de l'actuelle ville de Hakodate) s'est traduit par une appropriation des terres aïnoues.

ingénieurs et techniciens étrangers à partir de 2005. Selon certaines estimations, le Japon devra faire entrer au cours des vingt prochaines années quelque dix millions d'immigrants.

Aux marches de l'Empire

Aux nouvelles segmentations sociales entre les favorisés et ceux qui ne le sont pas, le Japon ajoute d'autres « diversités » qui relèvent, elles, de discriminations parfois séculaires. C'est le cas tout d'abord des habitants des « marches » de l'Empire : Aïnous et habitants d'Okinawa.

Royaume indépendant, payant tribut à la Chine et aux seigneurs de Satsuma (Kyushu), l'archipel des Ryukyu (qui a pris le nom de l'île principale de l'archipel, Okinawa) a été annexé par le Japon à la fin du XIXe siècle. Beaucoup d'habitants appauvris émigrèrent alors vers Hawai tandis que le reste de la population fut victime d'une discrimination ouverte qui se manifesta notamment à la fin de la guerre du Pacifique. L'armée impériale, qui mena dans l'archipel une dure résistance contre les Américains, traita les populations locales avec une sévérité souvent inhumaine. Sous la tutelle des États-Unis jusqu'en 1972, Okinawa, qui supporte aujourd'hui le poids des bases militaires américaines, est resté un des départements les plus pauvres du Japon, en dépit du tourisme attiré par ce « paradis tropical ».

Les Aïnous sont les anciens habitants des îles Kouriles, de Sakhaline et de Hokkaido, peuplades ap-

Ci-dessus : L'entrée d'un village aïnou à Hokkaido.

Page de droite : Des fidèles boivent l'eau de la source de Kiyomizu-dera à Kyoto.

parentées à celles de Sibérie orientale. Isolés dans leur archipel, ils ont développé des caractéristiques physiques propres, en particulier une pilosité importante, qui a longtemps fait croire qu'il s'agissait d'un peuple d'origine caucasienne égaré en Extrême-Orient. Les recherches récentes ont montré qu'il s'agissait d'un peuple d'origine mongoloïde.

En dépit de sursauts de révolte rapidement matés contre la colonisation, les Aïnous ont vu leur univers s'effondrer et leur société se déstructurer. Ils ont été réduits à la fin du XIXᵉ siècle au statut de population minoritaire, durement exploitée par les colons. Aujourd'hui, la plupart des Aïnous se sont assimilés au reste de la population. Quelques-uns (une vingtaine de milliers), parqués dans des sortes de réserves, ont gardé leur mode de vie traditionnel, pour le bonheur des touristes.

D'autres discriminations qui remontent au lointain Moyen Âge sont restées rampantes dans la société moderne. C'est le cas de ceux que l'on nomme les *burakumin*, « gens des hameaux ». Ils sont environ trois millions répartis en six mille « ghettos », surtout dans la région du Kansai et en particulier à Kyoto.

À l'ère Meiji, furent abolis les quatre ordres (guerrier, paysan, artisan et marchand) et le statut discriminatoire de ceux qui formaient la « lie » de la société de l'époque : les *hinin*, « non-humains », dans le sens de non-membres de la société, et les *eta*, « immondes ». Les premiers étaient des bannis, des criminels, des mendiants ou bien des gens appartenant au « peuple flottant » non lié à un statut : lépreux, saltimbanques et artistes (jardiniers-paysagistes, acteurs comme par exemple Zeami qui porta au XVᵉ siècle le théâtre No à sa perfection). Les *eta* avaient été à l'origine victimes de

PURETÉ/SOUILLURE

L'opposition entre souillure et pureté est une notion centrale dans la pensée japonaise ancienne. Avec l'écoulement du temps, les humains ne peuvent maintenir les choses dans leur pureté d'origine. Aussi, l'évitement de la souillure et la purification sont-ils essentiels dans les rites shinto. On peut se maintenir dans un état de pureté en se tenant à distance des êtres souillés, c'est-à-dire de ceux qui sont chargés des tâches impures (découper la viande, castrer les bœufs, élever les faucons, traiter le cuir, dépecer les charognes, laver les morts, etc.).

discriminations parce qu'ils pratiquaient des métiers condamnés par la doctrine bouddhique et considérés comme « impurs » dans le culte shinto (religion autonome du Japon).

Ces interdits d'origine religieuse furent utilisés par le pouvoir comme mécanismes de contrôle social au temps des shoguns Tokugawa, qui structurèrent ces communautés, les assignèrent à résidence et firent de leurs chefs des sortes de régents des bas-fonds. Libérés au début de l'ère Meiji, *hinin* et *eta* devinrent de « nouveaux citoyens ». Alors que les premiers se fondirent dans la société, les seconds restèrent dans leurs « villages » ou dans les quartiers à la périphérie des villes où se trouvaient leurs ateliers (tanneries et autres) et continuèrent à être victimes d'une discrimination plus ou moins ouverte. Au fil de la forte immigration urbaine de l'époque, leurs « hameaux » se grossirent de miséreux des campagnes qui devinrent de fait des « gens des hameaux ».

La discrimination s'est maintenue après la guerre de manière sournoise en matière d'emploi ou de mariage. Elle se fonde sur le lieu de naissance ou de résidence d'un individu. Bien que ce soit interdit, des agences de détectives dressent des listes de *burakumin* destinées aux entreprises (ce fut encore le cas à Osaka en 1998) ou enquêtent sur l'origine des futurs conjoints. Internet est devenu un nouvel espace de délation. La question des « gens des hameaux » demeure un sujet que beaucoup de Japonais rechignent à aborder – comme une sorte de lourd secret de famille.

Une dernière discrimination frappe la minorité coréenne (environ 625 000 personnes), répartie entre deux groupes pro-Pyongyang et pro-Séoul. Pour la plupart, ce sont des descendants des Coréens arrivés sur l'archipel avant la guerre (alors que la péninsule était depuis 1910 une colonie japonaise), soit volontairement, soit sous la contrainte dans le cadre du travail forcé. Après la guerre, beaucoup sont repartis. Pour ceux qui sont restés, l'antagonisme (partagé) entre Coréens et Japonais est la

source de tensions larvées. Certains ont pris la nationalité japonaise et se sont fondus dans la société. D'autres revendiquent leur identité. Une grande partie de la communauté coréenne vit dans la région du Kansai. Minoritaire, cette communauté, comme celle des Chinois de Taiwan, exerce néanmoins une influence diffuse sur la société, notamment dans le showbiz : beaucoup de vedettes sont d'origine chinoise ou coréenne.

Est ou Ouest

Le lecteur d'une carte de l'archipel nippon aura la perception d'un pays étroit qui s'étend du nord au sud depuis Hokkaido, au climat quasi sibérien, jusqu'aux îles de l'archipel des Ryukyu au climat tropical. Le Japon s'étend du 45e degré de latitude nord (Wakkanai sur le détroit La Pérouse est à la hauteur de Bordeaux) au 24e degré (île d'Ishigaki au sud d'Okinawa, à la hauteur de la frontière entre le Maroc et la Mauritanie). Si on considère l'île principale de Honshu, flanquée de celles de Kyushu et de Shikoku, ce lecteur aura l'impression que Kyushu par exemple est au sud de Tokyo. Eh bien, cette perception n'est pas du tout celle qu'ont les Japonais de leur espace !

Panorama de Hakodate, Hokkaido. L'île du Nord a été peu à peu occupée par les Japonais à partir du XVIe siècle avant d'être entièrement intégrée à l'État moderne dans les années 1870. L'immigration en provenance des régions « de l'envers » a été forte à la fin du XIXe siècle et au début du XXe et les habitants ont souvent conservé une mentalité de pionniers qui les rend beaucoup moins ancrés dans la tradition que le reste du pays.

RIVALITÉ EST-OUEST

La rivalité est-ouest perdure à travers les « cliques » universitaires, celles de l'Université de Tokyo (Todai) et de Kyoto (Kyodai) qui s'affrontent parfois scientifiquement, parfois politiquement, pour pourvoir les postes universitaires dans les universités de second ordre. Elle se manifeste aussi régulièrement dans l'affrontement des meilleures équipes de base-ball (les Tigers d'Osaka et les Giants de Tokyo). Elle était sensible enfin dans le conflit qui a opposé dans une lutte terrible Sony (Tokyo) et Matsushita (Osaka) à la fin des années 1970 pour l'imposition d'un standard mondial des magnétoscopes (Betamax/VHS).

Exception faite de Hokkaido, situé dans la réalité comme dans les représentations au nord, et d'Okinawa au sud, le reste du Japon s'organise aux yeux de ses habitants non pas du nord au sud, mais autour de l'axe est/ouest, Pacifique/mer du Japon. Une perception qui a façonné les mentalités.

Le Japon historique s'est constitué dans la région du Kansai avec Nara et Kyoto, les anciennes capitales. C'est là que résidait la cour impériale. Pendant toute la période ancienne et médiévale, le cœur de la civilisation japonaise fut le Kansai et son prolongement occidental en direction de Kyushu via la mer Intérieure. Au nord-est de Kyushu, par Hakata, l'actuelle ville de Fukuoka, parvenaient les influences et marchandises du continent, de Corée et de Chine. Les terres situées à l'est de la région de Nagoya étaient considérées à Kyoto comme des terres lointaines : *Azuma*, « les contrées orientales ». Là, se développa l'archétype de la chevalerie japonaise entre le XIe et le XIIIe siècle. Là naquirent les samouraïs qui fondent en 1185 un régime guerrier, le *bakufu* (shogunat), et installent leur capitale à Kamakura (à une cinquantaine de kilomètres au sud de l'actuelle Tokyo) puis à Edo (ancien nom de Tokyo). Ces deux pôles de pouvoir, le Kansai d'une part, où résident l'empereur,

l'aristocratie de cour et où se trouvent les grands monastères, et le Kanto de l'autre où règnent le shogun et ses guerriers, auraient pu conduire à l'apparition de deux États. Il s'en est d'ailleurs fallu de peu que ce soit le cas.

Du passé, tout cela. Sans doute, mais qui marque profondément les mentalités contemporaines. La légendaire rivalité entre l'Est (le Kanto) et l'Ouest (le Kansai) est toujours sensible. Une ligne allant de la péninsule de Noto à Hamamatsu coupe en deux l'archipel sur le plan linguistique, le séparant en dialectes orientaux et occidentaux. Quand les chemins de fer nationaux japonais ont été dénationalisés dans les années 1980, la nouvelle compagnie créée, la Japan Railways, a été divisée en deux réseaux, est et ouest, qui correspondent à cette coupure. Edo devenue Tokyo (la « capitale de l'Est ») en 1869 s'oppose à ses éternelles rivales : Kyoto, l'ancienne capitale impériale, et Osaka « la cuisine de l'Empire », la grande cité marchande. À un Japon du riz, des bateaux, du commerce avec le continent, fondé plutôt sur l'État impérial et sur une société collectiviste organisée autour du village, s'oppose un Japon des champs secs, du cheval, des guerriers, fondé sur l'État shogunal et sur une société hiérarchisée organisée autour de la maisonnée. Le régime shogunal d'Edo marque la suprématie politique et économique de l'Est sur l'Ouest. Mais la restauration monarchique de Meiji correspond au triomphe des élites originaires de l'Ouest…

Aujourd'hui encore, cette rivalité est-ouest n'est pas apaisée. Kyoto, la millénaire capitale impériale, est un peu à part. Ses habitants de souche, fiers de leur passé et de leurs coutumes, forment une société assez fermée derrière leur courtoisie. Les habitants d'Osaka, la puissante cité marchande d'autrefois, sont plus ouverts et chaleureux. Dans

Jeunes filles à la mer à Okinawa.

Page de gauche : Hiver enneigé dans les Alpes japonaises.

Le volcan Showa Shinzan, à Hokkaido, s'est formé dans les années 1943-1945.

cette ville où une manière familière de se saluer consiste à dire « *mokarimakka ?* », « ça marche les affaires ? », on n'a pas peur de parler d'argent et on ne s'embarrasse guère de respectabilité chichiteuse. Pour les Tokyoïtes, les gens d'Osaka sont « sans gêne » et un peu « vulgaires » tandis que pour ces derniers les habitants de la capitale sont des « bureaucrates prétentieux ». À l'opposition est-ouest, les Japonais en ajoutent une seconde : envers/endroit. On désigne par cette expression (peu appréciée des gens de « l'envers ») les parties du Japon qui font face à l'océan Pacifique d'une part et à la mer du Japon d'autre part. Le « Japon de l'endroit », de Sendai à Fukuoka, est doux l'hiver et les précipitations y sont peu abondantes à la saison froide. Il n'en va pas de même pour les régions qui font face à la mer du Japon, depuis Akita dans le Tohoku jusqu'à Shimane et Tottori à l'ouest : l'hiver y est rude avec de fortes chutes de neige. Ces régions, notamment autour de Niigata où l'enneigement est le plus fort, sont appelées également Yukiguni, le Pays de neige, décrit entre autres par Kawabata Yasunari.

Le développement historique et économique a favorisé la partie « endroit » : c'est là que l'urbanisation puis l'industrialisation furent les plus rapides et massives. Ce déséquilibre profond a conduit les populations du « Japon de l'envers » à émigrer vers les grandes villes du « Japon de l'endroit », engendrant une certaine nostalgie pour ces pays enclavés, moins bien équipés et froids l'hiver, nostalgie qui est perceptible dans les *enka*, les chansons que les salariés des grandes villes aiment à chanter au *karaoke*.

Citadins des mégalopoles

De même qu'à la lecture d'une carte du Japon, on ne prend pas conscience d'emblée de la façon dont les Japonais organisent mentalement leur espace, on aura tendance à penser – devant un plan de Tokyo ou d'Osaka et même à parcourir leurs grandes artères – la mégalopole japonaise comme une uniforme flaque urbaine. Or, on fait peut-être l'expérience de la diversité des Japonais d'abord dans une grande ville.

Au-delà de sa monumentalité, toute ville est d'abord un « état d'esprit » : elle est ce que ses habitants en font et y flâner c'est un peu apprendre à connaître ceux qui y vivent.

Prenons Tokyo (mais on pourrait dire la même chose d'Osaka ou de Fukuoka) : c'est une ville à facettes dont les quartiers témoignent de modes de vie qui sont loin d'être homogènes. Cette nébuleuse urbaine qui s'étend sur un rayon de cent cinquante kilomètres le long de sa baie et compte près de 30 millions d'habitants, déroutera, voire rebutera, de prime abord. Le nouvel arrivant la trouvera probablement « laide » en la jugeant à l'aune de ses critères urbanistiques et architecturaux.

Ville à l'ordre caché plus que manifeste, éclatée en plusieurs centres, hérissée souvent encore de poteaux électriques, au ciel barré d'autoroutes aériennes, Tokyo n'est pas une ville monumentale.

Rue de Dotombori, quartier populaire et animé d'Osaka.

Ci-dessous : Demi-cercle des bâtiments municipaux de Tokyo dans le quartier de Shinjuku. Au centre, les deux gratte-ciel Sumitomo et Mitsui.

Page de droite : Une rue de ce quartier polymorphe dont la partie ouest est dédiée aux affaires et la partie est la grande « ville sans nuit » de la capitale.

C'est moins le passé que le présent qui est sa référence : à l'exception du palais impérial, de temples et de certains bâtiments (de l'époque Meiji essentiellement), la capitale nippone n'est pas une ville de la mémoire. Elle ne porte pas la marque de grandes figures qui l'auraient façonnée. La caractéristique du Tokyo contemporain, comme de la plupart des grandes villes nippones, est son hétérogénéité. Il y a des bâtiments remarquables, comme si les plus grands noms de l'architecture mondiale s'étaient donné rendez-vous à Tokyo, mais l'ensemble de la ville paraît désordonné, chaotique. Sa beauté – car beauté il y a – réside dans sa fluidité, son goût du présent et dans son mouvement : ses foules, le grand « collage » architectural des rues où se côtoient les styles et les hauteurs, les signes de l'Est et de l'Ouest, le kaléidoscope de ses enseignes à la nuit tombée. Tokyo est « beau » par son mouvement : son remodelage perpétuel comme s'il était toujours en construction, en chantier, en cours d'achèvement.

Plusieurs facteurs expliquent les mutations de Tokyo. Le grand tremblement de terre du Kanto en 1923 réduisit une bonne partie de la ville en miettes. Pendant la guerre, des quartiers entiers furent rasés par les raids aériens américains. Et au

lendemain de la défaite, il fallut d'abord sortir des décombres, reconstruire, se redresser. L'esthétique et la protection du patrimoine passèrent par conséquent au second plan. D'autant que les maisons de bois traditionnelles sont plus chères à reconstruire et, de surcroît, inconfortables (glaciales en hiver et étouffantes en été).

L'impôt sur la succession fut un autre facteur qui incita les héritiers à raser pour construire de petits immeubles de rapport. Le capitalisme sauvage qui débuta vers 1960, dont le dernier avatar fut une spéculation foncière effrénée au cours de la période de « bulle financière » de la fin des années 1980, eut enfin raison de quartiers entiers du vieux Tokyo.

En perpétuelle mutation, s'inventant chaque jour et se transformant ainsi au fil de la vie de ses habitants, Tokyo n'en réserve pas moins des surprises : on passe ainsi inopinément, derrière les buildings des grandes artères embouteillées, à des « quartiers villages » aux maisons individuelles et aux petits immeubles où le piéton et le vélo sont rois.

Ainsi est ménagé ce constant passage qu'apprécient les Japonais de l'anonymat de la mégalopole à la convivialité de la vie de voisinage. Dans les petites rues du Tokyo-village, où ne passe guère qu'une voiture de front, l'on goûte le « bonheur de la rue » : des étals qui empiètent sur la chaussée, des lanternes des bistrots, une convivialité chaleureuse et spontanée.

CONSTRUIRE ET RECONSTRUIRE

Plusieurs facteurs concourent à ce remaniement incessant de l'espace urbain nippon. Une « tradition » de changement : bâtie en bois, la ville japonaise a été plus qu'à son tour détruite à la suite d'incendies ou de séismes. Ces catastrophes naturelles ne sont jamais loin. Les Japonais se sont habitués à vivre avec ces risques. Ils s'y préparent. Surtout, ils les oublient… La rotation des capitaux de l'époque moderne a donné une nouvelle ampleur à cette disposition à détruire et à reconstruire : beaucoup de bâtiments modernes sont des constructions légères, vite obsolètes. Cette frénésie de démolition a eu hélas raison du capital architectural de l'époque Meiji dont on compte sur les doigts de la main les monuments encore debout.

LA VILLE BASSE

Les habitants de la ville basse sont les vrais Tokyoïtes : ils se sentent dépositaires de l'esprit du vieil Edo, truculent, volontiers frondeur. À l'extrême, *yamanote* n'a pas d'histoire : c'est *shitamachi* qui l'a accaparée toute entière. Une histoire de splendeurs et de tragédies, d'esprit d'entreprise et d'exploitation du faible, de convivialité et de dévouement aussi. C'est dans ce monde que s'épanouit le rire populaire des *rakugo*, les conteurs qui encore aujourd'hui ravissent le public à la télévision et à la radio ; c'est là que vivaient les maîtres de l'estampe, les auteurs de kabuki qui y puisaient leurs intrigues et les acteurs adulés.

Les petites rues, qui sont le plus souvent sans trottoir et mal adaptées à la circulation, forment un labyrinthe où il est difficile de trouver une adresse. Seules les très grandes artères portent un nom, et encore. Ce qui n'avance pas à grand-chose étant donné que de toute façon l'adresse se décline en une succession de blocs numérotés qui s'emboîtent les uns aux autres telles des poupées russes. De parcelle en parcelle, de numéro en numéro, on remonte jusqu'au lieu que l'on cherche. Les petits plans dessinés par celui chez qui on se rend, qui ravissaient Roland Barthes, ou la quête de l'âme charitable à qui demander son chemin, cèdent la place aujourd'hui au « téléguidage » avec les téléphones portables.

Une autre diversité de la ville tient au caractère des quartiers : les différents « centres » de Tokyo, leur état d'esprit et leur faune. On ne rencontre pas les mêmes Japonais à Ginza, le quartier vitrine de l'Occident depuis Meiji, ou dans celui voisin des affaires, Marunouchi, dans le populaire Ikebukuro, dans le truculent Ueno, dans le Shinjuku (sortie est de la gare), la « ville sans nuit », à Shibuya investi par une jeunesse branchée ou à Omotesando où il faut se faire voir. Chaque quartier a ses habitués : « dis-moi dans quel quartier tu sors et je te dirai qui tu es ». Les âges ne s'entremêlent guère dans les quartiers nocturnes : Shibuya, ce sont plutôt les très jeunes, Ueno, Ginza ou Shimbashi, des gens d'âge mûr. Seul Shinjuku est un grand *melting pot* des âges, des conditions sociales, des quêtes.

Bien que Tokyo présente une mixité sociale assez grande dans la plupart des quartiers, on y distingua longtemps, comme dans la plupart des métropoles nippones, deux villes distinctes : *shitamachi*, la ville basse, et *yamanote*, la ville haute, qui correspondent encore à des mentalités.

Edo, l'ancien Tokyo, conçu en spirale, reflétait l'ordre social : au centre se trouvait le palais shogunal entouré de douves (aujourd'hui palais impérial) et autour les quartiers des fonctionnaires (guerriers et aristocrates). Les petites gens (artisans et marchands) vivaient à la périphérie. Ville des nobles de la cour des shoguns et des seigneurs en résidence, *yamanote*, située en arc de cercle à l'ouest de ce qui est aujourd'hui le palais impérial, fut à partir de l'ère Meiji le quartier des hauts fonctionnaires, des bourgeois et des nantis. *Shitamachi*, au sud vers l'estuaire du fleuve Sumida fut – et est encore jusqu'à un certain point – la ville du petit peuple.

Plus encore que par leur topographie et leur style d'habitation (disons, pour simplifier, aéré et cossu dans le cas de *yamanote*, dense et modeste dans le cas de *shitamachi*), les deux parties de la ville différaient par leurs mentalités. Au caractère guindé de la première, la seconde oppose sa gouaille et ses coups de cœur, la convivialité d'un monde où l'on n'accepte jamais un bienfait sans savoir qu'un jour on devra le rendre : un sens du *giri*, la dette vis-à-vis d'autrui, qui est un des traits de caractère des Japonais. Aujourd'hui, *shitamachi* est une carte brisée. Elle s'égrène en un archipel ténu de petits quartiers à l'ombre de la verticalité du Tokyo moderne. Mais elle reste le lieu où se forgèrent bien des mœurs urbaines contemporaines, des pratiques polies par des générations qui font partie d'une sorte de « mémoire flottante » de tout un chacun.

Il y a pléthore de bicyclettes dans les mégalopoles japonaises. À proximité des gares dans les parkings qui leur sont réservés, les vélos se comptent par dizaines de milliers : les Japonais s'en servent pour se rendre à la gare ou en partir.
Les femmes les utilisent pour faire leurs courses dans le quartier, un panier devant pour les commissions et un siège derrière pour un enfant

Vivre ensemble

*Ci-dessous : Dans le métro.
Un réseau de trains et
métros innerve les grandes
métropoles japonaises.
Les transports en commun
restent ici sûrs et efficaces
mais leur prix est
aussi plus élevé qu'ailleurs
dans le monde.*

*Page de droite : Distributeur
de boissons.*

*Page 40 : Ginza by night,
à Tokyo.*

« Bourreaux de travail » logés dans des « clapiers ». Avec l'« emploi à vie » et la « mort par excès de travail », voilà, à en croire la vulgate occidentale sur le Japon, les attributs incontournables de la *« Japanese way of life »*. Et l'on ne peut que soupirer d'aise de ne pas vivre dans un tel « enfer ». Les télévisions nous déversent à satiété les images des villes japonaises, sortes d'agrégats des malédictions de la modernité : les foules oppressantes traversant en masse les avenues, les « pousseurs » dans les métros et les trains aux heures de pointe… Oui, tout cela existe. À cela près que la station Châtelet-les Halles à six heures du soir n'est pas beaucoup plus gaie. En dépit de la densité humaine, des carences du logement, de la durée des transports, du rythme parfois frénétique de la vie urbaine, les rapports sociaux quotidiens dans les villes japonaises sont cependant largement exempts de l'irascibilité qui est le fait de beaucoup de leurs homologues occidentales. Épargnée au début de ce millénaire par ces phénomènes épinglés en France comme des « fractures sociales », la ville japonaise est peut-être l'endroit où l'on perçoit le mieux cette intelligence à vivre ensemble qu'ont cultivée les Japonais au cours des siècles.

Villes faciles à vivre

La ville japonaise n'a certes
pas l'exubérance narcissique
d'une ville italienne, par
exemple. À l'étranger, on a
l'idée que l'on y « vit mal ».
Elle offre pourtant aussi une
qualité de vie, mais d'un autre
type que la nôtre. Les foules
sont des foules où que ce soit
et ce n'est jamais agréable de
« slalomer » dans une vague
humaine ou d'être bousculé.
Mais il ne s'y dégage aucune
agressivité. Les visages dans
les rues ou les transports sont
généralement avenants. Le
sens de la discipline, les prio-

rités respectées facilitent les rapports quotidiens.
La ville a en outre une infinité d'aménités qui semblent aller de soi, à commencer par l'abondance
des services dont l'amabilité n'est pas la moindre
des qualités. Le sourire possède ici une fonction
sociale et il fait partie du service.

Comme les métros ou les toilettes publiques (gra-
tuites et nombreuses), les rues sont d'une propreté
enviable (sans crottes de chiens : ramassées systématiquement par le propriétaire de l'animal et em-
portées dans un sac en plastique). Des distributeurs automatiques de boissons – jamais fracturés
– fonctionnent à tous les coins de rue. On trouve
facilement des taxis en maraude. La plupart des
immeubles de bureaux et les lieux publics sont
munis de consignes à parapluies. Dans les bureaux
de poste sont disponibles plusieurs types de lu-
nettes en plastique pour ceux qui ont oublié les
leurs… Généralement, un objet perdu dans les
transports en commun est rapporté aux services
concernés, où s'amoncellent parapluies, téléphones
portables, sacs et vêtements répertoriés.

Il y a pléthore de magasins ouverts vingt-quatre
heures sur vingt-quatre : dans les *combini* (de

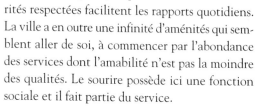

POLICE…

En 2001, on comptait
7 homicides
pour 100 000 habitants
aux États-Unis et 0,6 au
Japon. Plusieurs facteurs
expliquent ce phénomène :
l'efficacité de la police dans
le tissu social et le sens de
la responsabilité de
l'individu vis-à-vis de la
collectivité. Ébranlée par
des scandales et objet des
critiques (à cause de la
diminution du taux
d'arrestations), la police
semble cependant mal
préparée à faire face aux
évolutions sociales
récentes. Par ailleurs, le
contrôle des syndicats du
crime sur la petite
délinquance a également
été entamé par la loi
antigang de 1992 qui a
forcé les grandes
organisations à adopter
un profil bas. Leur retrait
s'est conjugué à l'arrivée
d'une criminalité
étrangère, chinoise en
particulier, plus violente.

l'anglais *convenient store*), petits supermarchés qui sont une nouvelle forme du commerce de proximité, on peut aussi envoyer des paquets ou documents, recevoir des commandes faites par e-mail, retirer de l'argent à des distributeurs automatiques, effectuer des opérations bancaires ou régler ses factures d'électricité et de gaz. Les grands magasins et beaucoup de boutiques sont ouverts les week-ends. La livraison à domicile de plats chauds ou froids (attestée dans les villes depuis l'époque d'Edo) est pratiquée par des livreurs en scooter. La nuit enfin, la ville est encore largement sûre, même pour une femme qui rentre tard : bien qu'en augmentation, le taux de criminalité au Japon restait au début des années 2000 l'un des plus faibles du monde industrialisé.

Une violence contenue

Le Japon n'en a pas moins l'une des pègres organisées les plus structurées du monde. En 2003, le crime organisé, qualifié par la police de « bandes violentes organisées », regroupait 85 800 membres ou membres apparentés. La plus importante organisation est Yamaguchi-gumi, qui compte 17 500 membres et rassemble 112 bandes. À la faveur de la période de « bulle spéculative », la pègre a fortement pénétré l'économie légale où elle était tra-

Ceux que l'on regroupe sous le terme de *yakuza* se disent les héritiers d'une criminalité née au XVIIe siècle. Le mot viendrait d'une combinaison perdante au jeu. Les joueurs professionnels constituèrent l'élément noble de la pègre et lui donnèrent ses rituels (telle que la section du doigt en signe de repentir, aujourd'hui abandonnée, et la tradition des tatouages). Le Milieu japonais présente sans doute des similitudes par son code de l'honneur avec la mafia sicilienne d'autrefois. Mais il s'en différencie aussi radicalement : les syndicats du crime ne sont pas clandestins. Les bandes sont officiellement des associations fraternelles qui ont pignon sur rue (bureaux, emblèmes, etc.). Avec la loi antigang de 1992, certaines bandes peuvent cependant être désignées par la police comme organisations « hors la loi ».

ditionnellement présente dans les secteurs comme les cabarets ou la construction.

Au début du nouveau millénaire, l'archipel ignorait le phénomène des « banlieues » ou des « cités de la peur » et le monde de la nuit y restait sans danger. La crise économique de la décennie 1990, qui a entraîné une augmentation du chômage et une internationalisation de la criminalité, a certes été marquée par une augmentation des vols, des braquages et des meurtres. Des signes de dysfonctionnement (délinquance juvénile, absentéisme à l'école) étaient en outre plus sensibles. En 2000, le parlement a d'ailleurs adopté une loi controversée qui abaisse l'âge de la responsabilité légale de 16 à 14 ans. Une première vague de délinquance juvénile a eu lieu dans les années qui suivirent la défaite de 1945 ; puis, de la fin des années 1950 jusqu'au milieu de la décennie suivante (début de la période de Haute Croissance économique) et enfin au milieu des années 1980. Par rapport à cette dernière période, le nombre des crimes et délits commis aujourd'hui par des jeunes a diminué, mais leur gravité a augmenté. En matière de délinquance juvénile, le Japon a également le taux de criminalité le plus faible des pays industrialisés et la poussée de violence de certains adolescents relevait moins jusqu'en 2001 d'un phénomène de masse que de cas isolés d'individus qui « disjonctent ».

Ces symptômes de malaise, souvent montés en épingle par la presse à la faveur de faits divers tragiques, restaient largement contenus : en 2001,

Ci-dessus : Un policier dans le quartier de Roppongi à Tokyo.

Page de gauche : Un sans-abri à Dotombori, Osaka. Les sans-abri ne mendient pas, ils vivent des produits périmés des supermarchés et de petits travaux de récupération.

C'est à la fin des années 1990 que le taux de suicide a commencé à augmenter. En 2002, le nombre des personnes qui avaient mis fin à leurs jours (32 143) était passé à 25,2 pour 100 000 habitants, ce qui plaçait le Japon dans la moyenne élevée des pays développés. La crise s'est certes traduite par une augmentation des suicides pour raisons économiques (35 %). La principale cause des suicides est la maladie et beaucoup de Japonais qui mettent fin à leurs jours sont des personnes âgées. Mais on note aussi une augmentation des cas de suicides de jeunes de moins de 29 ans : de 3 003 en 1997, le nombre est passé à 3 520 en 2002.

la crise économique et sociale n'avait pas entamé le lien social.

Un autre symptôme de malaise social, le taux de suicide, doit également être nuancé. Longtemps, en dépit de sa réputation de pays où l'on se suicide, le Japon est resté dans la « moyenne » des pays développés.

Forger le paysage

Les Japonais vivent aujourd'hui dans un pays qui a été modelé par la Haute Croissance économique. Les aménités urbaines, conjuguées à leur sens de la vie en collectivité, contrastent avec le chaos urbanistique. Elles contrastent aussi avec la destruction de l'environnement naturel par une politique d'aménagement du territoire longtemps asservie aux intérêts des promoteurs liés au monde politique. Cette collusion s'est traduite par un affligeant bétonnage de l'archipel, qui a irrémédiablement défiguré l'un des deux grands éléments du paysage japonais : la mer. À commencer par la mer Intérieure et son chapelet d'îles, berceau de la civilisation nippone, qui constituait encore au lendemain de la guerre l'un des plus extraordinaires paysages du pays.

Avec la montagne, la mer est la composante do-

minante de l'espace japonais et elle a façonné les mentalités. Pendant des siècles, elle a permis à des populations isolées par des montagnes souvent infranchissables de se connaître et d'entrer en contact les unes avec les autres. Elle a fait de ce chapelet d'îles un territoire à peu près unifié et conscient de l'être. L'imbrication de la mer et de la terre est l'un des paysages préférés des Japonais : les îlots escarpés couverts de pins de la baie de Matsushima ou le Pont céleste (Ama no hashidate), bande de sable plantée de pins, font partie ainsi des *meisho* (lieux célèbres), quotidiennement assaillis par des cohortes de touristes.

Faciles d'accès, commodes pour l'évacuation des déchets ou les communications, les côtes ont été les victimes désignées d'une déprédation industrielle d'une ampleur rarement atteinte ailleurs : rivages rendus géométriques sur des dizaines de kilomètres à la suite de comblement du littoral destiné à accueillir des *kombinato* (combinats). Les plans d'aménagement répondaient moins à l'intérêt général qu'à celui des entreprises de génie civil. Le Japon est l'un des rares pays qui au cours des quarante dernières années aura augmenté sa superficie en comblant, nivelant, asséchant ses rivages ou en créant des îles artificielles…

Ama no hashidate (le Pont céleste), Miyazu.

Page de gauche : Une image des « enfers bouillonnants » (jigoku), la région des sources thermales à Beppu (Kyushu), où les eaux sont colorées par les sels minéraux dissous.

ALPINISME

L'alpinisme est l'un des loisirs préférés des Japonais. Laïcisées aujourd'hui, l'escalade ou la randonnée à travers les monts sont des héritières lointaines de la pratique des *yamabushi*, « ermites des montagnes », qui pérégrinaient sur les sentiers escarpés d'un lieu d'ascèse à un autre pour acquérir des facultés miraculeuses.

La montagne, en revanche, plus difficile d'accès, a été relativement peu touchée. Bien que généralement peu élevée, elle occupe les quatre cinquièmes du territoire (et les forêts les sept dixièmes).

La montagne boisée joue un rôle fondamental dans la cosmologie religieuse : c'est dans ses profondeurs que demeurent les divinités du culte shinto dont les sanctuaires sont entourés d'un bois sacré et, le plus souvent, adossés à une hauteur. Aussi est-ce à l'intérieur du pays, dans les innombrables petites vallées encaissées, que l'on trouve des paysages d'une réelle beauté : des rizières en terrasses (comme dans la presqu'île de Noto) et de belles maisons paysannes de style traditionnel, avec leurs lourds toits de tuiles noires ou bleues brillant au soleil. Là, les modes de vie restent marqués d'empreintes séculaires.

Dans les années 1960, le Japon était encore un pays largement agricole : 32 % de la population travaillait pour le secteur primaire. En 2003, seulement 4,6 %. Et la production agricole ne représentait que 1,3 % du produit intérieur brut. Les agriculteurs japonais ont, comme ailleurs, conservé des traditions disparues en ville.

En dépit du rendement le plus élevé du globe et d'une mécanisation poussée au plus haut degré, les exploitations sont trop petites (moins d'un hectare) pour rester rentables et le prix du riz, subventionné par l'État, est le plus élevé du monde.

Vivre à l'étroit

Le saccage de l'environnement a le plus souvent accentué les disparités entre les régions : surexploitées et surhabitées d'un côté ou délaissées de l'autre. Si l'archipel était un bateau, il serait près de chavirer sur son flanc occidental et de basculer dans le Pacifique.

Près de la moitié des 127 millions de Japonais habite sur la bande littorale du Pacifique (35 millions dans la nébuleuse de Tokyo, 10,9 millions à Nagoya et 17 millions à Osaka et dans sa banlieue). Moins dense, le ruban se poursuit depuis le Kansai vers l'ouest jusqu'à Kitakyushu, au nord de Kyushu, à un millier de kilomètres de la capitale. Entre Tokyo et Osaka sur 500 km de distance, la densité de la population atteint 1 000 habitants/km^2 (contre 338 pour l'ensemble du pays).

Si certains Japonais préfèrent fuir les villes et opèrent un retour à la terre pour trouver une meilleure qualité de vie, la grande majorité subit les conséquences du capitalisme sauvage des années 1960, dont la spéculation foncière éhontée de la période de « bulle financière » (fin de la décennie 1980) a encore accentué les effets en balayant des quartiers entiers de petites maisons.

Le manque d'espace qui caractérise l'habitat japonais s'est traduit en ville par une concentration extrême des activités et des hommes. La ville a remédié en partant à la conquête du ciel (immeubles très élevés) et du sous-sol (cités marchandes souterraines, en particulier autour des gares : à Shinjuku à Tokyo ou Umeda à Osaka par exemple). Elle s'est également étalée en banlieues pavillonnaires ou en *new towns* formées de grands ensembles de type HLM (*danchi*).

Le prix du terrain à Tokyo (l'un des plus élevés du

Ci-dessous : Vue aérienne d'Osaka. L'apparence de densité donnée par de telles photographies ne reflète que partiellement la réalité vécue. Les villes japonaises s'étalent horizontalement et si elles comportent des immeubles elles sont aussi constituées d'un grand nombre de maisons individuelles.

PARKING

La plupart des maisons individuelles ou des *manshon* ont des parkings : on ne peut acquérir une voiture sans justifier d'un emplacement pour celle-ci. Parfois, dans des maisons individuelles, le parking a nécessité la suppression d'une pièce et il est lové dans un espace où entre tout juste un véhicule. Ceux qui n'en ont pas doivent louer une place dans un parking public qui délivre un certificat permettant d'obtenir la carte grise.

monde), et dans les grandes villes nippones en général, est la cause principale de la petitesse de la plupart des logements (à la campagne ou dans les villes de province prédomine en revanche la grande maison familiale). L'exode rural au lendemain de la guerre, conjugué à une politique du logement insuffisante, ont contribué à la pauvreté de l'habitat en ville.

En 2003, 65 % des logements disposaient du tout-à-l'égout. Le reste (35 %) avait des fosses septiques (19 % dans le cas de la France). Au cours de la période de Haute Croissance, l'élévation du niveau de vie et l'accès aux biens de consommation courants – avec le décollage de secteurs comme l'automobile et l'électronique grand public – offraient des compensations aux manques du logement.

On assista à une invasion du centre ville par les bureaux. Un phénomène accentué au cours de la période de « bulle spéculative ». Les salariés à revenu moyen en ont ainsi été progressivement chassés. Avec l'éclatement de la « bulle spéculative » au début des années 1990 : la valeur des terrains ou des appartements achetés au prix fort au cours de la seconde moitié de la décennie précédente tomba d'un tiers, voire de moitié, en quelques années. Les Tokyoïtes réinvestirent le centre de la ville : les tours d'habitation des quar-

tiers à l'intérieur, ou juste à l'extérieur de la ligne de train de ceinture Yamamote, se sont multipliées.

Maison à la carte

La grande majorité des logements en ville sont exigus : la superficie moyenne est de 70 m², moins en milieu urbain. Il n'est pas rare que les parents ou les enfants dorment dans une pièce qui dans la journée sert de salle de séjour : généralement, on étend sur le sol recouvert de tatami (nattes fixes en fine texture de paille

de riz recouverte d'une natte de jonc vert pâle qui jaunit avec le temps), une literie mobile composée de minces matelas et de *futon* (édredons) que l'on range le matin dans une armoire à cet effet après les avoir aérés au soleil sur le garde-fou du balcon – ce qui donne aux rues un petit côté méditerranéen.

L'architecture domestique traditionnelle (en bois) a largement cédé la place au modernisme des constructions en dur : aussi bien pour les immeubles d'habitation que pour les maisons individuelles. C'est le cas des *danchi* (qualifiées de « clapiers » dans un rapport de la Communauté européenne sur le Japon à la fin des années 1970). Ce que l'on nomme *apato* (de l'anglais *apartment*) de « 2 ou 3 DK » (c'est-à-dire deux ou trois chambres plus *dining-kitchen*) est moins cossu que les immeubles qualifiés de *manshon* (de l'anglais *mansion*), le plus souvent dotés de noms étrangers pompeux : *shato* (du français « château »), *gurande* (de l'italien « grande ») ou autres.

Que ce soit dans les maisons individuelles, qui restent nombreuses en ville, ou dans les appartements, le mode d'habitation a connu une évolution qui relève moins d'une occidentalisation que d'un

Chantiers dans le quartier Shinjuku de Tokyo.

Page de gauche : Intérieur de la gare de Kyoto. Elle abrite un vaste centre commercial.

Ci-dessous : L'habitude de se déchausser à l'entrée d'une maison est généralisée.

Page de droite : Ville basse, shitamachi, à Tokyo.

processus de modernisation des modes de vie spécifiquement japonais. Le caractère plurifonctionnel de la pièce a tendance à disparaître avec l'introduction de plus en plus répandue du lit à l'occidentale. En revanche, des traits typiques de l'habitat nippon demeurent : se déchausser dans l'entrée, monter une marche pour se trouver au niveau du plancher et utiliser des chaussons d'intérieur que l'on abandonnera en entrant dans la pièce à tatamis ou que l'on échangera pour d'autres dans les toilettes.

À la maison, si la salle de bain le permet, il est fréquent que le bain du soir se prenne en famille. La nudité des parents n'est pas frappée de tabou. Le bain en commun reste une pratique symptomatique de la relation que les Japonais entretiennent au corps et à leur communauté. Bien que la plupart des Japonais disposent aujourd'hui de salles de bain individuelles, certains affectionnent souvent encore les *sento*, bains publics de quartier. Correspondant à un type de sociabilité d'autrefois, ceux-ci tendent à disparaître : en 1964, on en comptait 23 000 à travers le pays mais il n'y en avait que 8 400 en 2000.

Alors que l'étranger a tendance à imaginer l'espace japonais dépouillé et mobile grâce à ses parois coulissantes, il est de nos jours fort encombré d'objets divers : immanquable téléviseur, stéréo, ordinateur, appareils ménagers, chaises et table sur un tapis recouvrant les tatamis voisinent souvent avec le petit autel bouddhique, sorte de petite armoire aux portes fermées que l'on ouvre pour y placer des offrandes devant la photo du ou des disparu(s). Dans la majorité des logements le sol est désormais couvert de moquette ou de par-

Le bain public est un lieu de convivialité de voisinage. On y papote comme au café du village. Le soir, on croise dans les ruelles de la « ville basse » des hommes et des femmes qui s'y rendent en tenue légère, avec à la main une cuvette contenant leurs effets de toilette. Les filles en repartent souvent la tête enturbannée de leur serviette. Depuis l'ère Meiji, pour satisfaire à la pudibonderie occidentale, hommes et femmes sont séparés. On se déshabille dans des vestiaires puis on pénètre dans la vaste salle de bain où, accroupi sur des tabourets devant une rangée de robinets ou de douches, on se savonne et on se rince avant d'entrer dans le bassin d'eau chaude rejoindre des compagnons de baignade souvent expansifs et bavards, immergés jusqu'au menton.

quet, mais souvent une pièce est en tatami. L'exiguïté, conjuguée à l'abondance des biens de consommation, donne souvent l'impression d'un certain désordre.

L'étroitesse des logements serait l'une des raisons pour lesquelles les Japonais invitent plus volontiers au restaurant que chez eux. Les grandes villes nippones ménagent, il est vrai, pléthore de succédanés de maison : le bar où l'on a sa bouteille ou les bistrots d'habitués. Mais il est faux de dire que les Japonais n'invitent pas chez eux. Dans la ville basse (les quartiers populaires traditionnels), on ne fait pas de manières : la liberté de mise y est de rigueur et l'hospitalité généreuse et sans façon. L'invitation à l'improviste n'est pas rare. Inviter chez soi était une tradition, comme en témoigne la pièce pour les invités des maisons anciennes. Quant au mari qui ramène à la maison des copains un peu éméchés au désespoir de son épouse, c'est un grand thème de l'une des bandes dessinées les plus populaires depuis un demi-siècle : Sazae-san, la ménagère dont la famille incarna le foyer nippon avant et après la grande croissance économique des années 1960. Une histoire qui est longtemps restée le feuilleton du dimanche soir. En province, en outre, la vie nocturne étant réduite, recevoir est un rituel très important.

Le « modèle japonais »

Plusieurs types de segmentations – nous l'avons vu – commencent à apparaître dans une société

Exercices d'évacuation dans la cour intérieure de la mairie de Tokyo.

présentée autrefois de manière simpliste comme « homogène ». Une première concerne le marché du travail. L'« ère de la sélection », ouverte par l'apparition d'un système plus compétitif, contribue en effet à accroître le clivage entre les salariés bénéficiant de la sécurité de l'emploi et la large masse des autres.

Bien que le « dégraissage » à l'américaine ne se soit pas encore imposé comme la norme, une polarisation des modes de gestion n'en a pas moins commencé à apparaître. Elle est caractérisée par un développement rapide du temps partiel au détriment des autres formes d'emploi.

Les Occidentaux ont figé les relations de travail au Japon en un schéma réducteur : l'« emploi à vie » et le « salaire à l'ancienneté ». Le salarié était supposé entrer dans une entreprise où il resterait jusqu'à la retraite voyant son salaire progresser régulièrement au fil des années. Or, ce système n'a fonctionné dans sa forme accomplie que dans les grands groupes (employant de 10 % à 15 % du total des salariés) et les administrations, mais s'est érigé en modèle. On a voulu y voir aussi une expression de la fidélité « traditionnelle » des Japonais au groupe. Ce système n'est en rien une survivance du « féodalisme », mais une création du capitalisme moderne : il a son origine dans le souci du patronat à partir des années 1920 de fixer la main-d'œuvre qualifiée, alors trop mobile à son goût, et de contrer les demandes syndicales par l'idéologie de l'« entreprise famille » : responsabilité morale du patron vis-à-vis de ses employés, primauté du groupe sur l'individu et sacrifice au bien collectif. Ce système qui pénalise la mobilité et récompense le travail à long terme a survécu à la guerre et s'est systématisé dans les grandes entreprises. Il satisfaisait aussi l'exigence de sécurité de l'emploi des syndicats.

Après les grandes luttes syndicales, qui au début des années 1950 se traduisirent par de violentes grèves (dans les mines ou dans l'automobile) accompagnées d'occupations des locaux, de destruction de matériel et de durs affrontements avec les forces de la police, un équilibre fut trouvé sur la base d'une garantie de l'emploi et d'augmentations régulières des salaires.

Le syndicat maison (le syndicat de branche que tentèrent de créer les communistes après la guerre n'a jamais pu s'établir en raison de l'opposition patronale) négocie annuellement les salaires et les avantages divers des adhérents. Le patronat « achetait » généralement la paix sociale, ce qui a expliqué la quasi absence de grève.

Banlieusards à la gare de Tokyo. Les Japonais se plaignent d'être mal logés. Non seulement les logements sont petits, mais ils sont aussi souvent à une ou deux heures de leur lieu de travail. Les salariés qui travaillent à Tokyo sont pour beaucoup des banlieusards qui, le matin et le soir, prennent d'assaut les trains de la capitale : près de 40 % passent entre 60 et 90 minutes dans les transports et 16 % entre 90 et 120 minutes. Beaucoup habitent en moyenne à une vingtaine de kilomètres du centre. La situation est légèrement meilleure à Osaka ou Nagoya.

SYNDICATS EN DÉCLIN

À la suite des privatisations des années 1980 et de la disparition de la grande fédération syndicale Sohyo, le syndicalisme japonais, regroupé en une énorme confédération, Rengo, dominée par les syndicats de tendance pro-patronale, a perdu de sa vigueur et de ses effectifs : alors qu'en 1975, 34 % des salariés étaient syndiqués, ce n'était plus le cas que de 21,5 % en 2000. Mais on a commencé à voir apparaître de petits et embryonnaires syndicats indépendants.

Les négociations entre patronat et syndicats se déroulent au cours de ce que l'on appelait l'« offensive de printemps » – qui est devenue de moins en moins « offensive » avec le ralentissement de la croissance économique. Ce système a permis aux salariés des grandes entreprises d'obtenir leur « part de gâteau » de la croissance : à partir de la fin des années 1950, les salaires ont régulièrement augmenté pour atteindre des niveaux équivalents ou supérieurs à ceux de l'Occident. Les résultats des négociations syndicales se répercutaient plus ou moins chez les sous-traitants ou dans les autres secteurs économiques.

L'homme de l'organisation

Le salaire à l'ancienneté et la formation des employés dans le cadre de l'entreprise contribuaient à fidéliser l'employé : quitter l'entreprise d'origine, c'était se contenter d'un emploi moins qualifié chez un concurrent (pas par sanction d'« infidélité » mais parce que l'on n'avait pas la qualification maison) ou échouer dans une petite ou moyenne entreprise avec pour corollaire un salaire plus faible et la perte des avantages : le salarié nippon n'avait pas d'autre choix que d'être « loyal ». S'il est certes légalement difficile de licencier, le patronat a toujours su se débarrasser

des employés en surnombre ou insuffisamment productifs, même dans les grands groupes, en jouant des mutations, incitations à partir, brimades etc. Dans les PME, on a toujours licencié.

L'organisation du travail dite à la japonaise, née dans un contexte historique précis, celui de l'après-guerre, était fondée sur des compromis sociaux contractuels ou implicites qui exigeaient d'énormes investissements en ressources humaines – davantage que ne l'a jamais consenti une firme occiden-

Salariés dans une rue du centre de Tokyo pendant la pause du déjeuner.

Page de gauche : Ouvriers travaillant au pavage d'un jardin public.

tale – mais ils étaient rentables. Polyvalente et intéressée au bon fonctionnement de la firme, la main-d'œuvre adoptait une attitude positive vis-à-vis du contenu des tâches. L'employé ou l'ouvrier était reconnu dans un savoir-faire valorisé par l'entreprise et cette reconnaissance favorisait une adhésion globale au système industriel. C'est ce compromis au sein de la grande entreprise qui a rendu possible la formidable expansion japonaise entre 1960 et 1990. Mais il était assorti d'une forte hiérarchisation des salariés.

Les soutiers de la croissance

À l'« aristocratie » des employés permanents s'ajoutent en effet les temporaires, employés sur la base de contrats reconduits tous les six mois. Puis vient la « piétaille », c'est-à-dire la grande majorité des salariés qui travaillait dans des entreprises de moindre importance. Plus on descend dans la hiérarchie des entreprises et plus les conditions sont précaires : absence de syndicats, travail à la demande et plus mal payé.

Or, la majorité des salariés travaille dans des entreprises moyennes ou petites allant jusqu'à

KAROSHI

Le Japonais serait un forcené de travail, ne prenant pas de vacances et mourant d'épuisement au labeur. Le mot *karoshi* (mort par excès de travail) est à la mode depuis 1990 à la suite de la demande d'indemnisation déposée par la veuve d'un cadre d'entreprise auprès de l'inspection du travail. Cette dernière a depuis reconnu plusieurs dizaines de cas de mort par infarctus ou apoplexie, imputables à un excès de travail. Selon les statistiques, le temps de travail se situait à la fin des années 1990 entre 37 heures et 40 heures par semaine.

Ci-dessus : Rue de Dotombori, Osaka.

Page de droite : Honda Soichiro (1906-1991), le fondateur charismatique de la firme Honda, ici avec Ayrton Senna. Il est représentatif de cette génération d'entrepreneurs qui, partis de zéro au lendemain de la guerre, allaient bâtir des empires industriels, fers de lance de l'expansion économique japonaise. En 1947, ce modeste ingénieur met au point un petit moteur adaptable sur les bicyclettes. Le succès aidant, il produit des motocyclettes qui s'imposeront dans les compétitions internationales, puis, à partir de 1953, il se lance dans la fabrication de voitures. Honda est aujourd'hui le deuxième constructeur automobile japonais.

l'atelier de quartier. Par rapport à l'Allemagne ou aux États-Unis, le Japon se caractérise par un plus grand nombre d'entreprises dont les effectifs sont faibles. Le nombre moyen de salariés par entreprise oscille autour de 15 personnes. La grande majorité (99 %) des entreprises nippones ont un capital inférieur à 100 millions de yens (900 000 euros) et comptent moins de 300 salariés. Ces entreprises emploient 79 % des salariés et produisent 52 % du produit intérieur brut.

Depuis le début des années 1990, les conditions qui ont assuré la rentabilité des équilibres socio-économiques de l'après-guerre ne sont plus réunies. La main-d'œuvre âgée de la cinquantaine (donc chère) est plus nombreuse que la main-d'œuvre plus jeune, alors que cette dernière, du fait de l'évolution rapide des technologies, est souvent plus performante : en d'autres termes, le Japon est dans un schéma exactement inverse de celui des années 1960-1980.

La crise de la décennie 1990 trouve partiellement son origine dans une inversion du rapport qui sous-tendait les équilibres sociaux dans la période précédente. L'adoption d'un modèle néo-libéral à l'anglo-saxonne semble cependant peu probable, parce que son coût social serait sans doute trop élevé et risquerait de mettre en péril ce qui constitue le vrai « modèle » japonais : chercher le plus possible à éviter de trop fortes tensions sociales.

Une crise dynamisante

La crise commencée au début de la décennie 1990 a fait découvrir à beaucoup de salariés de plus de cinquante ans qu'ils ne pouvaient compter que sur eux-mêmes, que leur fidélité à la firme n'était pas payée en retour.

Cet « affranchissement » douloureux a aussi stimulé une renaissance de l'esprit d'entreprise et du goût du risque qui ont innervé l'histoire nationale, depuis l'essor du capitalisme marchand qui préparait la modernité, jusqu'aux bricoleurs de génie qui, au lendemain de la guerre, reconvertissaient des casques en casseroles ou montaient des moteurs sur des bicyclettes, comme Soichiro Honda, fondateur de Honda Motors. Aujourd'hui ce genre d'entrepreneur aventureux réapparaît à la tête de petites sociétés à capital-risque.

La crise a eu une vertu libératrice : elle a remis le Japon en mouvement. Ce nouveau dynamisme, qui échappe aux statistiques macro-économiques, bénéficie du caractère interstitiel de la société nippone : les entreprises à capital-risque se lovent dans les failles du système de production et de distribution où elles se taillent des « niches », tandis que les demandeurs d'emploi puisent dans la marqueterie des « petits boulots ».

L'un des effets de la crise a été de déplacer jusqu'à un certain point la créativité industrielle des grands groupes, qui monopolisent capital, technologies et accès au marché, vers la périphérie : elle a ainsi redonné leurs chances à une myriade d'ingénieurs, talentueux et anonymes, souvent sous-employés par les grands groupes. Depuis les années 1950, le Japon a produit des dizaines de millions d'ingénieurs de niveau moyen, qui ont permis au pays d'être à l'avant-garde de l'application des technologies à la production de masse.

À L'HEURE DU CHÔMAGE

Au début des années 1970, en dépit de crises comme celle du pétrole, les Japonais ont été – relativement à d'autres pays – épargnés par le chômage. Même si la manière de comptabiliser les demandeurs d'emploi contribue à réduire leur nombre (n'est pas considéré comme chômeur celui qui a travaillé une heure au cours des trente jours qui précèdent le recensement), l'économie était créatrice d'emplois. Aujourd'hui, elle l'est beaucoup moins et le chômage, qui a dépassé 5 % en 2001 – un taux record pour le Japon depuis la guerre, semble appelé à se maintenir.

Deux jeunes filles distribuent des échantillons à des passants.
Depuis les années 1990 les furiita, des jeunes souvent diplômés, préfèrent passer d'un travail temporaire à un autre plutôt que d'entrer dans une entreprise. Pas plus rebelles que les générations précédentes (celles qui succédèrent aux étudiants radicaux des années 1960-1970), ils se contentent d'esquiver les contraintes. Ils se situent au point de convergence entre une évolution économique (un «marché» de l'emploi plus flexible privilégiant le travail temporaire) et les aspirations «nomades» d'une nouvelle génération qui préfère une vie plus libre.

Ces évolutions socialement douloureuses pour les salariés d'âge moyen ne sont pas en contradiction avec les aspirations de la nouvelle génération. Les offres d'emploi ont chuté avec la récession mais beaucoup de jeunes ne sont plus attirés par l'entreprise qui conserve ses contraintes sans plus être capable de leur garantir la sécurité de l'emploi en échange de leur dépendance. Ils ont conscience que Japan Inc. a quasiment rendu l'âme. Ils s'en détournent sans avoir de modèle de rechange. Une partie d'entre eux cherche aussi à se dérober à un système qui tend à polariser la société entre gagnants et perdants. Un écart se creuse entre ceux qui restent attachés à une conception traditionnelle du travail (sérieux, dévouement) et ceux qui cherchent un équilibre entre travail et loisirs, voire donnent la priorité à ces derniers. Les contraintes sont aujourd'hui moins fortes.

Politique, la mal-aimée

Au cours de la décennie 1990, la désaffection du citoyen pour la politique est patente. Elle se traduit notamment par un déclin du taux de participation électorale. Si la société et l'économie sont en mutation, le monde politique apparaît, lui, « déphasé », peinant à suivre les transformations en cours ; un décrochage entre l'opinion et ses représentants s'opère.

La sclérose du monde politique est largement due à une quasi-absence d'alternance au pouvoir : depuis 1955, la vie politique est dominée par un parti, le Parti libéral-démocrate (PLD). Au cours des années 1960 et en gros jusqu'à la fin de la guerre froide, il existait un contrepoids : une gauche relativement puissante représentée par les socialistes ainsi que dans une moindre mesure, par les communistes et certains syndicats puissants dans le secteur public.

Ce système appelé le « système de 1955 » correspond à la période de Haute Croissance du Japon, qui donne la primauté au redressement et à l'expansion économique. C'est l'époque du « triangle de fer » c'est-à-dire de la collusion entre PLD, bureaucratie et milieux d'affaires, qui tire le pays et en fera en trois décennies la seconde puissance économique du monde. Cette collusion se traduit par un système de pouvoir où lobbies politico-affairistes et intérêts néo-corporatistes ont la haute main sur le pays par leur utilisation éhontée des fonds publics à des fins électorales. Des mécontentements, des oppositions, des contestataires parfois virulents se manifestent. Mais les succès économiques, une redistribution relativement équitable des fruits de la croissance et des politiques de compensation des excès d'un capitalisme souvent sauvage contribueront à une stabilité politique et à une relative paix sociale.

Avec la « bulle spéculative » des années 1980, le système commence à déraper : la corruption devient endémique et se traduit par des scandales à répétition. Avec l'éclatement de la « bulle » et la chute de la croissance, le PLD n'aura plus les ressources pour alimenter sa machine de pouvoir et

Un siège électoral.
Les Japonais n'ont jamais été des « mordus » de politique. La majorité d'entre eux n'a jamais eu grande confiance dans les politiciens et a rechigné à percevoir les problèmes socio-économiques en termes abstraits, privilégiant au contraire les intérêts immédiats et locaux. Selon un sondage de 1998 du quotidien Asahi, trois Japonais sur quatre considèrent leurs politiciens comme malhonnêtes et 70 % sont insatisfaits de leurs représentants. Alors qu'aux États-Unis et en Grande-Bretagne, environ 60 % des personnes interrogées par le quotidien pensent que leur bulletin de vote a un poids dans la gestion du pays, 54 % des Japonais répondent le contraire.

la tolérance de l'opinion aux scandales diminue.
Quand la Bourse s'effondre, des millions d'épargnants découvrent avec indignation que les banques ont couvert les pertes des politiciens. Le « système de 55 » chancelle.

Excepté en 1993 avec les cabinets de coalition Hosokawa et Hata, les libéraux-démocrates demeurent sans discontinuer au pouvoir. La « traversée du désert » du PLD dure à peine dix mois. Le réalignement sans fin des partis contribue à détourner les Japonais de la politique. La grande force d'opposition est l'hétérogène parti démocrate, rassemblement de transfuges du camp conservateur, de socialistes et de parlementaires issus des mouvements de citoyens. L'arrivée au pouvoir de Koizumi Junichiro, porté par une révolte à la base du PLD contre ses « caciques », est jusqu'à un certain point symptomatique d'une volonté de renouvellement qui longtemps n'a pas trouvé de moyen de s'exprimer au niveau politique.

Les électeurs japonais se répartissent à peu près en trois groupes : un quart vote régulièrement pour le PLD, un quart pour l'opposition toutes tendances confondues et la moitié est constituée par un électorat flottant, sans appartenance partisane, et se rendant irrégulièrement aux urnes. Citadine, généralement éduquée, cette frange de l'électorat vote en fonction de critères plus « modernes » que les électeurs des campagnes. Ce nouvel électorat plus versatile accentue une coupure entre un Japon urbain, plus progressiste et en expansion et un Japon rural conservateur et déclinant.

Exercer la démocratie

La stagnation du monde politique contraste avec le dynamisme de la société civile qui s'exprime dans les mouvements de citoyens, les organisations non gouvernementales (ONG) ou le bénévolat. Avec une centaine de milliers d'associations et 8 millions de volontaires en 2000, celui-ci est certes moins développé qu'en Occident, mais il n'en constitue pas moins une tendance lourde

Affiches pour l'élection du gouverneur de Tokyo en avril 1991. Chaque département japonais est dirigé par un gouvernement élu au suffrage universel.

d'un nouveau Japon. Il s'inscrit dans la longue histoire des mouvements sociaux, dont ont témoigné les luttes contre le traité de sécurité nippo-américain en 1960, celles des victimes de la pollution dans les années 1970 (la maladie de Minamata, une intoxication par le mercure organique a provoqué 2 265 victimes reconnues et 1 435 morts). Mais il est concomitant à une maturation politique qui s'exprime au niveau local par l'élection de maires ou de gouverneurs grâce au soutien des mouvements de citoyens locaux. Le séisme de Kobe en 1995 est symptomatique de cette mobilisation citoyenne et du passage d'une société axée sur l'entreprise à une autre fondée sur les « liens d'affinités ».

S'il y a une désaffection pour la politique nationale, l'idée de la citoyenneté ne date pas de l'occupation américaine après 1945.

L'esprit de révolte, la rébellion, la tradition du refus font aussi partie de l'histoire japonaise depuis des siècles : mouvements d'insubordination et grandes révoltes de l'Ancien Régime ont forgé l'imaginaire collectif. La modernisation qu'a connue le pays à la fin du XIXᵉ siècle et au début du XXᵉ siècle s'inscrit aussi dans cette tradition de contestation de l'ordre établi et n'aurait pas été

PRESSE

En 2002, le tirage des journaux s'élevait à 71 millions (653 exemplaires pour 1 000 habitants contre 269 dans le cas des États-Unis). Le premier quotidien national *Yomiuri* tire à 14 millions d'exemplaires. La grande majorité des foyers reçoivent leur journal par portage à l'aube et en fin d'après-midi grâce à un réseau de quelque 24 000 officines de quartier employant 480 000 personnes. Le déclin des rentrées publicitaires conjugué à une contraction du lectorat mettent cependant des grands journaux en position délicate. La presse sportive – dix grands titres qui ont une diffusion quotidienne de 8 millions d'exemplaires –, souvent racoleuse, avec de gros titres colorés, diffuse aussi des pages d'information sur la politique, le showbiz et l'industrie du sexe.

Ci-dessus : Après le tremblement de terre de Kobe (1995).

Page de droite : Dans une école, les enfants japonais balayent à tour de rôle.

possible sans la participation active d'une partie essentielle de la population. Le travail critique souterrain opéré par les couches moyennes urbaines et rurales est à l'origine du processus, ou a su l'accompagner et en faire un succès. Par exemple, le Mouvement pour la liberté et les droits civiques au début des années 1880 revendique une constitution, des élections, une plus grande participation des citoyens à la vie active et le Japon devient le premier pays hors d'Europe à posséder un régime constitutionnel et un parlement (dès 1890-1891).

Dans les années 1915-1925, qui correspondent à ce que les Japonais nomment « la démocratie de Taisho », naît une véritable opinion publique : mouvement ouvrier, mouvement démocratique, mouvement féministe travaillent dans le sens d'une libéralisation des mœurs politiques et d'un élargissement des droits d'expression et d'association. C'est parce que le Japon connaît ce bruissement de mouvements associatifs dans les années 1910-1920 (depuis les syndicats anarchistes jusqu'aux associations littéraires en passant par les cercles féministes) qu'il est à même au lendemain de la défaite, une fois l'appareil militaire brisé et les réformes démocratiques imposées par les Américains, de jouer – avec succès – le jeu de la démocratie. Certes imposées par l'occupant, les réformes démocratiques, comme celles qui contraignent l'empereur à changer de statut, ne sont pas plus une importation étrangère qu'elles ne le sont en Allemagne ou en Italie.

Cette démocratisation touche aussi la figure impériale. Selon la nouvelle constitution d'après-guerre, l'empereur est le symbole de la nation. Il ne s'agit donc plus d'un monarque tout-puissant censé régner sur un empire comme l'avait imaginé le régime Meiji. Même tempéré par un parlement depuis 1890, le régime moderne faisait de la figure impériale un monarque quasi absolu, s'inscrivant dans une « tradition » immémoriale et remontant aux temps mythiques. Fabriquée par les oligarques dans les années 1870-1880, cette image d'un empereur moderne, en grand uniforme, inspectant les innovations technologiques du temps et suivant la progression de ses armées sur le théâtre des opérations extérieures, correspond à un véritable détournement de la fonction impériale à l'époque moderne.

Quand l'empereur Showa (Hiro-hito) défile sur un cheval blanc, le sabre au côté, devant un régiment de blindés, il incarne plus un shogun qu'un *tenno*. Et quand les Américains imposent après-guerre au Japon un nouveau statut à l'empereur – empereur civil, symbole d'un peuple – ils ne se heurtent à aucune opposition de principe parce qu'ils renouent avec une plus ancienne tradition. Médium devenu symbole, l'empereur redevient un personnage hors du champ politique.

L'EMPEREUR

Dans le passé, l'empereur (en japonais : *tenno*, c'est-à-dire « point fixe dans le ciel ») est pour l'essentiel un personnage isolé dans son palais, chargé de faire le lien entre la communauté des hommes et les divinités. C'est vraisemblablement parce que l'empereur est un personnage sacré et dépouillé de tout pouvoir politique et militaire que l'institution a perduré à travers les siècles. D'ailleurs les jésuites portugais au XVIe siècle ne se trompaient pas vraiment quand ils considéraient le *mikado* comme un pape et non comme un roi. En faisant de cet empereur-prêtre, quasiment ignoré d'une partie des populations avant le XIXe siècle, un souverain moderne à l'occidentale, on a transfiguré une tradition.

Être femme

—

La Japonaise : un fantasme ?

Femmes en mouvement

Carrière, oui ou non ?

L'amour à feu doux

Le « paradis des femmes »

Le mariage : une option

La nouvelle génération

LE DÉCLIN DU KIMONO

Le kimono est un langage : par ses teintes et son matériau, il communique de subtils messages sur l'âge, la situation sociale, la saison. Mais c'est un langage qui se perd. Ce vêtement ne quitte plus guère les longues boîtes rectangulaires de bois où il est rangé que pour des occasions spéciales : funérailles, mariages, fête de la majorité, Nouvel An. De moins en moins de femmes en portent et de plus en plus ignorent comment le revêtir. Entre 1990 et 1998, les ventes de kimonos ont chuté de près de 60 %. Avec sa progressive disparition, ce sont des manières de marcher, de s'asseoir, de s'incliner qui s'évanouissent. Dans la forme qu'on lui connaît aujourd'hui, le kimono remonte à l'époque Meiji.

Ci-dessus : Une mère et son enfant.

Page 66 : Mère et sa fillette en kimono pendant une cérémonie au sanctuaire Heian jingu à Kyoto.

Consacrerait-on dans un livre traitant de la société américaine ou allemande un chapitre particulier aux femmes ? Vraisemblablement pas. Les Américaines ou les Allemandes sont partie prenante de l'ensemble de la configuration sociale et on ne verrait pas pourquoi les traiter séparément des hommes. C'est aussi le cas des Japonaises. Alors pourquoi ce traitement particulier ?

D'abord parce qu'à la représentation de la Japonaise est attaché en Occident un florilège de clichés. L'image de la Japonaise est sans doute l'une de celles qui a le moins évolué au cours du siècle écoulé, depuis la « mousoumé » décrite, non sans goujaterie, par le railleur Pierre Loti au XIXe siècle, à la Nippone sautillante au « rire de soubrette » d'Henri Michaux dans *Un Barbare en Asie*.

Mais aussi parce que la place qu'occupent les femmes dans la société a singulièrement évolué depuis quelques années. Les économistes, l'œil rivé sur les comptes d'exploitation des entreprises, évoquent volontiers la décennie 1991-2001 comme la « décennie perdue », celle d'un pays incapable de procéder aux réformes rendues nécessaires par la mondialisation. Pour les femmes japonaises, cette décennie ne l'a en tout cas pas été. Leur rôle, leur place, leur influence n'a cessé de grandir.

La Japonaise : un fantasme ?

La Japonaise fait partie de notre Orient fantasmatique où l'érotisme le dispute à l'exotisme. À la lascivité sensuelle de la femme « orientale », elle ajouterait une « soumission » un peu mièvre aux désirs de l'homme. Femme au visage à peine esquissé et au corps emporté par des tourbillons de soie des peintures sur rouleaux ; experte en art de la séduction et gentiment perverse, mordillant un mouchoir, tirée des estampes ; ménagère délaissée dans un gynécée de banlieue que sont les *new towns* ; fille d'ascenseur, automate à courbettes : la Japonaise telle que l'Occident se la représente en dit plus sur les fantasmes nourris à l'étranger que sur son objet. Il y a certes aussi au Japon des femmes au foyer esseulées et repliées sur l'éducation de leurs enfants, des salariées exploitées, des femmes qui souffrent de discrimination dans leur travail. Mais il y a également des femmes heureuses, épanouies, aussi « libérées » dans leur comportement sexuel que les Occidentales, et aussi fortes, sinon aussi extraverties, que ces dernières.

La grande figure féminine est évidemment la geisha sur laquelle l'imagination de l'Occident a tant fantasmé. La geisha, dont le nom s'écrit avec les idéogrammes « art » et « personne », fut d'abord « un » geisha. Il s'agissait d'hommes qui, au XVIIe siècle, venaient distraire de musique, de chant et de babillages, les clients qui attendaient dans les maisons de plaisirs. Peu à peu, ces troubadours des quartiers réservés – qui plus que de simples agglomérations de bordels furent le creuset des arts de l'époque (théâtre, estampes), où la satisfaction sexuelle n'était qu'un des plaisirs – furent remplacés

Chaque dimanche, devant le parc de Yoyogi à Tokyo, des jeunes jouent de la musique et dansent.

À partir du XIXᵉ siècle se cristallisa autour des geishas un art de la séduction avec son code de galanterie, son protocole et ses rites. Un amour-goût opposé à l'amour-passion dont sourd un érotisme subtil fait du frémissement de l'allusif que rend la notion d'*iki* : un panache discret qui veut que l'émotion sache toujours se masquer de chic. La geisha faisait partie du « monde des fleurs et des saules » (*karyukai*), c'est-à-dire le demi-monde de la frivolité ; elle était le « saule » et la prostituée de haut vol la « fleur ». « Saule », la geisha l'est parce qu'« elle sait se plier gracieusement dans plusieurs directions au gré des vents de la fortune et du caractère du client », écrit Liza Dalby, anthropologue américaine, dans son excellent livre *Geisha*. (Payot).

par des femmes que l'on nomma geishas. Dès leur apparition, elles se démarquèrent donc des grandes courtisanes. Prostituée, la geisha ne le fut jamais et ne l'est pas plus aujourd'hui.

Après-guerre, le monde des geishas n'a jamais retrouvé la splendeur d'antan. Le jeu subtil de la séduction demeure – aujourd'hui encore les geishas les plus séduisantes ne sont pas forcément les plus jeunes – mais, à l'exception de quelques aficionados, les hommes ne connaissent plus les tours et les détours du code du « jeu » de l'*iki*. La geisha, qui par profession file les métaphores de l'amour, peut être comme toute femme amoureuse, parfois mal aimée et déchirée, parfois aussi heureuse. Monde secret, déroutant, tragique parfois, mais aussi chatoyant, l'univers des « saules » disparaît lentement. Les clichés en revanche ont la vie dure.

Femmes en mouvement

L'histoire montre que les Japonaises ont activement participé à tous les mouvements sociaux du siècle écoulé : combat pour les droits, mouvements socialiste ou anarchiste, luttes ouvrières ou écologiques. Ce qui fausse leur image est un code de féminité, un comportement social différent de celui de l'Occident, qui privilégie la réserve plus que l'extraversion. Conjugué à une position sociale cantonnée au foyer dans les années 1950-1970, il a donné de la Japonaise l'image d'une femme moins émancipée que son homologue occidentale. Vision erronée : les Japonaises ont affirmé leur existence sociale par d'autres stratégies, en marquant par exemple de leur empreinte un pullulement d'associations qui sont les forces vives de la démocratie dans l'archipel. Le code de féminité japonais voile « une force intériorisée qui est très réelle », estime l'avocate Kanazumi Fumiko spécialisée dans la défense des femmes.

L'évolution de l'image de la femme dans les médias, pour « superficielle » qu'elle soit, « n'en est pas moins révélatrice », estime Matsumoto Yumiko, l'une des premières femmes journalistes de

Page de droite :
Une démonstration de maiko à Kyoto, devant un groupe de spectatrices.

l'agence de presse Kyodo. Celle-ci n'est sans doute pas étrangère à un essor de la recherche sur l'histoire des femmes. Si le Japon moderne n'a pas connu la féminisation du pouvoir de l'Asie du Sud (Benazir Bhutto au Pakistan) et du Sud-Est (Corazon Aquino, Gloria Macapagal Arroyo aux Philippines) ou de grandes figures d'« Antigone » telle que la Birmane Suu Kyi (l'image est de Jean Lacouture), son histoire n'en a pas moins été marquée par les femmes.

Le Japon a eu ses femmes combattantes : des épouses des pêcheurs révoltées de Toyama – elles déclenchèrent les « émeutes du riz » en 1918 et provoquèrent la chute du gouvernement – aux grévistes des usines textiles des années 1920 protestant contre d'atroces conditions de travail. Il a eu aussi ses femmes engagées dans le combat féministe, telles que Ichikawa Fusae (1893-1981) ou la poétesse Yosano Akiko (1878-1942), figure de la « nouvelle femme » de l'époque qui, arrivée en France en 1913, avait été surprise du manque d'activisme des Françaises… La catholique Kitahara Satoko (1929-1958), surnommée « Marie du village des fourmis », qui consacra sa vie aux pauvres de Tokyo, fut choisie en 1995 par la revue *Bungei shunju* comme l'une des « cinquante femmes qui ont ému le pays ».

LE CODE DE FÉMINITÉ

Le code de féminité met l'accent sur l'artifice, la parure et la puissance suggestive. L'idéalisation du corps de la tradition gréco-romaine cède ici la place à la retenue : la beauté se devine plus qu'elle ne s'offre : « le somptueux vêtement laisse l'esprit s'évader dans ce monde où parfois luxe et luxure se confondent », écrit Christine Shimizu. Les artistes, poursuit-elle, s'attachent à l'expression d'une sensualité qui découle « moins de nus voluptueux que d'attitudes pondérées où le moindre geste et mouvement du corps et du visage laisse filtrer un érotisme contenu ».

RELIRE LA LITTÉRATURE

Le renouvellement de la critique littéraire par des femmes complète cette nouvelle approche de la figure de la Japonaise. Cette relecture, parfois iconoclaste, de la littérature masculine met en lumière la misogynie d'un Tanizaki ou d'un Kawabata qui passent pourtant pour avoir saisi la quintessence de la sensibilité féminine. Cette relecture a permis aussi de redécouvrir de grands auteurs féminins telles que Higuchi Ichiyo (1872-1896) ou Hayashi Fumiko (1903-1951). Ces recherches sur la femme comme agent de l'histoire ont aussi permis d'éclairer son rôle pendant la période militariste : victimes d'oppression, certaines Japonaises furent également des complices actives de l'impérialisme. De grandes féministes de l'époque voyaient dans le régime l'occasion pour la femme de se dégager de l'univers domestique et d'agir dans la sphère publique, montre Ueno Chizuko dans son livre, *Le Nationalisme et les sexes* (non traduit).

Depuis une décennie, on assiste au Japon à un décloisonnement de l'histoire des femmes et à un renouvellement de l'approche de leur rôle dans l'histoire. Une relecture qui remet notamment en cause l'idée que l'assujettissement de la femme à l'époque moderne serait un héritage féodal. La « Japonaise traditionnelle », héritière des vertus cardinales d'obéissance et de modestie, n'existe pas : c'est une invention de l'âge moderne (c'est-à-dire de l'époque Meiji), un fruit de la modernisation, estime l'historienne américaine Carol Gluck.

La liberté dont jouissaient les Japonaises du Moyen Âge avait surpris les jésuites arrivés dans l'archipel au XVIe siècle et il la jugèrent supérieure à celle des Occidentales. Par la suite, cette liberté fut entamée pour la minorité appartenant à la classe des guerriers, élevée dans les trois obéissances confucéennes (au père, au mari et au fils), mais la grande majorité des femmes du « vil peuple » ne fut pas touchée par ces préceptes, bien que leur sort n'ait pas été pour autant idyllique, comme en témoigne le tragique destin des filles de paysans vendues aux bordels. En ville, la majorité des femmes – à l'exception des épouses de guerriers – travaillaient. La situation des Japonaises changea à partir de la révolution industrielle, qui cantonna les femmes de la nouvelle bourgeoisie dans un rôle domestique et procréateur de « bonne épouse et bonne mère ».

Au début du siècle, la ménagère était une figure féminine parmi d'autres, souligne la sociologue Ochiai Emiko, qui fait valoir que la proportion des femmes travaillant dans le secteur manufacturier à l'époque était au Japon plus élevée qu'en Europe et aux États-Unis. Ce n'est que depuis 1945, poursuit-elle, que la majorité des Japonaises sont devenues des « ménagères à temps plein », lorsque les normes bourgeoises importées d'Amérique commencèrent à s'étendre à la classe moyenne naissante : une femme qui ne travaille pas devint un signe du statut social pour toute sa famille.

Cette relecture de l'histoire des femmes, de leur rôle social à travers l'histoire et la littérature, permet donc de nuancer le caractère « révolutionnaire » des mutations actuelles : la récente augmentation des divorces par exemple est-elle sans précédent ? Non, répond encore Ochiai Emiko : au tournant du siècle dernier, le Japon avait le taux de divorce le plus élevé du monde. Aujourd'hui, les femmes se dégagent du statut subalterne forgé au cours de la modernisation. Comment affirment-elles leur existence sociale ?

Carrière, oui ou non ?

Les femmes seront-elles la « botte secrète » du Japon pour se dégager de l'ornière de la crise et faire face aux défis du vieillissement qui à partir de 2005 va se traduire par une diminution de la population active ? En nombre croissant dans les universités

L'évolution de la situation de la femme se reflète dans l'image qu'en donne la télévision. Un feuilleton historique qui rencontre un succès prodigieux au cours des années 1980 avait pour héroïne la vertueuse Oshin, symbole d'endurance et d'abnégation. À la fin des années 1990, les feuilletons traitaient de femmes indépendantes faisant carrière ou menant une double vie. Avec *Le Djihad des femmes* (énorme succès en 1997), la romancière Shinoda Setsuko s'est penchée pour sa part sur le sort des plus « ordinaires » : les employées subalternes (celles que l'on nomme *office ladies*). L'auteur évoquait avec une tendre ironie les problèmes et le dynamisme dont elles font preuve pour « dégager leur épingle du jeu ». Le dessin animé *Princesse Mononoke*, la princesse élevée par les loups qui lutte contre les destructeurs de la forêt, est enfin révélateur de l'apparition de nouvelles figures salvatrices : les « femmes guerrières ».

Femmes dansant pendant une cérémonie près du sanctuaire Asakusa à Tokyo.

Page de gauche : Femmes qui travaillent dans une pêcherie d'Hokkaido.

UN TRAVAIL EN M

Les Japonaises mariées se répartissent en trois groupes : celles qui continuent à travailler après le mariage ; celles qui s'arrêtent et reviennent sur le marché du travail après avoir élevé leurs enfants et les femmes au foyer. Au milieu des années 1990, la courbe en forme de M de l'emploi féminin était encore prononcée : après une forte participation (de l'ordre de 70 %) au marché du travail à la sortie de l'université, le taux retombait à moins de 50 % dans le cas des femmes de 25 à 29 ans avant de se redresser pour la tranche d'âge de 40 à 54 ans. En d'autres termes, pendant une vingtaine d'années les Japonaises se retiraient du marché du travail pour se consacrer à l'éducation des enfants. C'est moins vrai aujourd'hui où 60 % des ménages ont un double revenu. Davantage de femmes continuent à travailler tout en élevant leurs enfants ; d'autres préfèrent ne pas en avoir ou n'en avoir qu'un, contribuant aussi au déclin de la natalité.

Page de droite : Jeune femme avec ses enfants.

et les collèges, elles constituent un vivier de capacités et de qualifications. Les mutations entraînées par la crise économique (abandon progressif du salaire à l'ancienneté et augmentation du travail temporaire), conjuguées à une nouvelle législation sur le travail (lois sur l'égalité des chances dans l'emploi en 1986, sur les congés maternité en 1995, puis sur l'abolition des restrictions à l'emploi féminin en 1997), devaient ouvrir de nouvelles perspectives de carrière aux femmes. Entre 1980 et 1996, le nombre de salariées a plus que doublé et en 2003 les femmes représentaient près de la moitié du salariat. Mais les effets pervers de ces lois, puis la récession ont rendu aussi le salariat féminin plus précaire.

Afin de satisfaire aux dispositions de la loi sur l'égalité dans le travail, les entreprises ont établi deux filières de promotion faussement égalitaires : une réservée aux employés, quel que soit leur sexe, destinés à rester dans l'entreprise et une autre pour ceux et celles qui sont appelés à la quitter. L'aiguillage se fait en fonction du diplôme et seule une minorité de femmes peuvent suivre la filière de la « carrière ». La loi, qui se traduit par la disparition des protections dont bénéficiaient les femmes (en matière d'heures supplémentaires ou de travail de nuit par exemple), aboutit donc à partager le salariat féminin en une élite qui peut faire carrière et une majorité qui en est exclue.

Elles sont 10 millions (20 % du salariat nippon et près de 40 % du salariat féminin) à travailler *pato* (à temps partiel). Au Japon, cette expression est trompeuse : elle désigne un travail quasi permanent, d'une durée pratiquement égale à celle d'un emploi à temps plein mais avec une rémunération inférieure et sans aucune garantie. Un emploi à « temps partiel » ne repose sur aucun contrat, « uniquement un engagement verbal », explique Tsukano Mitsuko, présidente du petit syndicat Edogawa Union à Tokyo dont 40 % des membres sont des femmes. « Dans le meilleur des cas, on est engagé pour moins d'un an car au-delà les patrons doivent verser au salarié des congés payés et une prime de départ. » Les cotisations de l'assurance chômage ne sont pas obligatoires pour des rémunérations annuelles inférieures à 900 000 yens (7 700 euros). Et lorsque la durée de travail est inférieure au trois quarts du temps plein (40 heures depuis 1997), l'employeur n'est pas obligé de cotiser pour l'assurance maladie ou l'assurance vieillesse.

L'amour à feu doux

Employées de bureau, ouvrières, *part timers* ou *career women*, les Japonaises ne sont plus la ménagère dans l'ombre de l'homme ou la « fleur de bureau » servant le thé que l'on s'est plu à décrire. Non seulement elles font sentir leur présence dans le monde du travail, mais elles « tirent » souvent les évolutions sociales. De même que le nombre de Japonaises parlementaires (9 % en 2003) reflète mal le rôle des femmes dans la vie publique, une approche statistique de leur situation sur le marché du travail (un poste de responsabilité sur dix est occupé par une femme) donne une vision réductrice de leur influence sur la société, estime

ÉGALITÉ, MAIS…

Les lois sur l'égalité des chances dans le travail, puis sur les congés maternité, conjuguées au souci d'indépendance des jeunes Japonaises, ont favorisé une évolution de l'emploi féminin. Mais la nouvelle égalité légale des femmes dans le travail suscite, par la levée des restrictions-protections les concernant, des critiques de mouvements féministes qui estiment que le législateur ignore la condition de la femme qui a en charge le foyer et l'éducation des enfants : si elle travaille comme les hommes, elle devra assumer une charge émotionnelle et physique plus grande, font-elles valoir.

Femme effectuant ses achats au marché aux poissons.

Page de droite : Fête au château de Shuri, à Naha (Okinawa).

la sociologue Ueno Chizuko, l'une des plus combatives – et parfois provocatrice – représentantes du féminisme des années 1970-1980, comme en témoigne le titre de l'un de ses livres, *Le Théâtre sous la jupe*. Les Japonaises apparaissent à l'avant-garde d'un processus de « réalisation de soi » qui serait en train de bouleverser les rapports sociaux, estime Anne Garrigue (*Japon, la révolution douce*, Philippe Picquier). Elles sont en tout cas à l'origine d'un nouveau groupe social épinglé par les médias comme la *kozoku*, la « tribu des individus » : des hommes et des femmes de moins de trente ans qui restent célibataires (entre 1990 et 1995 leur nombre a augmenté de 20 %).

La cohabitation et a fortiori la naissance d'un enfant hors mariage, quoiqu'en augmentation, sont cependant beaucoup plus rares qu'en Occident. Le roman autobiographique de Tsushima Yuko *Territoire de Lumière* (Des Femmes) décrit par exemple les difficultés rencontrées par une mère divorcée.

La société japonaise a en outre conservé des structures favorisant la distinction des rôles en fonction des sexes. « Contrairement à l'Occident, la modernisation s'est opérée sans remettre en cause cette distinction des sphères masculine et féminine », souligne Ueno Chizuko. Et aujourd'hui, la sociabilité entre femmes, habituées à vivre dans un monde distinct de celui des hommes, se renforce : elles voyagent, vont au restaurant, font du sport ensemble. « Ce qui ne signifie pas que les Japonais et les Japonaises préfèrent vivre chacun de leur côté, mais lorsqu'ils et elles décident de vivre ensemble, c'est en respectant ces sphères d'autonomie », estime la sociologue Emiko Ochiai, auteur de *The Japanese Family System in Transition* (LTCB International Library Foundation).

Les jeunes Japonaises sont en fait en train de rompre, et pour beaucoup ont déjà rompu, avec le rôle de « bonne épouse et mère avisée » que leur avaient assigné les oligarques de l'ère Meiji. Non seulement elles retardent l'âge de la procréation mais, nourries de la distinction héritée de la sagesse de ce pays entre amour et passion, elles privilégient l'« amour à feu doux » : les jeunes Nippones n'ont rien à envier aux Occidentales en matière de liberté sexuelle, mais elles cherchent à ne pas faire de la relation amoureuse le centre de leur vie. Et bien souvent, ce sont elles qui dominent cette relation. Frustrées ? Elles n'en ont pas l'air : 65 % d'entre elles ne voudraient pas renaître homme dans une autre vie.

Le « paradis des femmes »

Les Japonaises exercent toujours un pouvoir tangible sur le foyer, l'éducation des enfants et la gestion des finances du ménage. Mais elles ne sont pas toutes pour autant la « *captive wife* » décrite par Hannah Gabron : ce sont parfois, au contraire, des privilégiées qui jouissent de ce que la presse baptise le « paradis des femmes ».

Celles que Ueno Chizuko nomme *enjoist* (jeu de mot sur l'anglais *enjoy*, « jouir », « profiter » et sur le japonais *joen* « associations féminines ») sont loin de confiner leur vie à l'espace domestique. Elles sont engagées dans une foule d'activités gratifiantes. Elles emplissent les cafés, les restaurants, les magasins ou les centres culturels ou s'embarquent pour l'Europe ou les États-Unis ; d'autres – ou parfois les mêmes – participent à

SCOLARISATION FORTE

Le Japon vient en tête des pays industrialisés en matière de taux de scolarisation dans le cursus de l'enseignement obligatoire de 6 à 15 ans : en 2003, 99,9 % des enfants fréquentent l'école primaire durant six années, et 96,9 % des garçons et 97,7 % des filles le lycée.
Au cours des années 1990, le nombre des filles poursuivant des études supérieures est passé de 37 % à 48 %, soit un taux encore légèrement inférieur à celui des garçons (49,4 %).
Alors que longtemps les filles se tournaient vers les universités de jeunes filles (cycle court de 2 ans), de plus en plus, elles entrent dans les universités à cycle de 4 ans comme les garçons afin d'être mieux formées à la vie active.

LE « MARIAGE ARRANGÉ »

Le « mariage arrangé » a été une pratique répandue depuis Meiji – il le fut aussi sous d'autres formes dans la bourgeoisie en France du XIXᵉ siècle. Son formalisme – le jeu de l'intermédiaire qui présente le « bon parti », l'entrevue officielle (*omiai*) – lui donne l'allure d'un carcan. En fait, il n'était pas rare que l'on fasse plusieurs *omiai* avant de se décider. Jusqu'au début des années 1990, 35 % des couples mariés depuis plus de trente ans avaient connu un *omiai*. De nos jours, le mariage est devenu une affaire personnelle : la majorité se marie par affinités (*renai kekkon*) et à peine 10 % par arrangement. Mais reste ancrée dans les mentalités une distinction entre amour (*ai*), l'affection que l'on éprouve pour ses proches ou pour un conjoint, et passion (*koi*), sentiment violent. Alors que le premier se construit au fil du temps, le second évoque le désordre du cœur. Il n'est pas condamné, mais relève du jardin secret.

des mouvements associatifs et deviennent des « ménagères activistes », selon l'expression de la sociologue Kanai Yoshiko.

Les *enjoist* diminuent en nombre car, récession oblige, de moins en moins de maris ont des situations permettant à leur femme ce genre de liberté. Mais les associations animées par des femmes continuent à pulluler et constituent une autre expression de leur influence sur la société : coopératives, réseaux de circulation parallèle des produits, mouvements civiques pour la protection de l'environnement. Plus sensibles que les hommes aux problèmes de la vie quotidienne, les femmes sont les animatrices d'une vie démocratique locale. Elles constituent aussi – ce qui n'est pas forcément à mettre au crédit de leur progressisme – la majorité des adeptes des sectes dont beaucoup ont été fondées par des femmes.

Si le mouvement associatif attire des femmes de plus de quarante ans, les plus jeunes préfèrent le bénévolat ou monter leur propre affaire. D'autres travaillent pour des firmes américaines ou européennes ou partent à l'étranger. Les plus soucieuses de reconnaissance sociale s'engagent dans la fonction publique ou poursuivent des études scientifiques, longtemps le pré carré des hommes.

Les Japonaises « sont plus attachées à leur liberté qu'aux apparences du pouvoir », estime la sociologue Iwao Sumiko, « elles ne pensent pas que le pouvoir apporte le bonheur ». « Éloignées de la sphère du pouvoir, les Japonaises ont une approche de celui-ci plus individualiste, parfois irrévérencieuse. Pour elles, le pouvoir ne se conquiert pas dans la compétition comme le font les hommes », estime, pour sa part, l'avocate Kanazumi Fumiko. « Plus sensibles aux situations qu'aux hiérarchies, elles n'ont pas d'inhibitions dans la communication et ne sont pas obsédées par le travail : elles veulent une activité qui leur plaît mais cherchent ailleurs des satisfactions », souligne Teno Mie, femme d'affaires qui dirige un cabinet de consultants.

Le mariage : une option

Les choix des femmes se sont multipliés et « le mariage n'est plus une priorité : c'est une option parmi d'autres », estime Tazaki Miyako, enseignante à la faculté des sciences de Tokyo, qui souligne néanmoins les pressions sociales dont sont l'objet les femmes pour fonder un foyer et pallier les lacunes du système de prise en charge des personnes âgées. Conscientes de ces contraintes, les jeunes femmes retardent le mariage pour conserver leur liberté et la possibilité, grâce à leur indépendance financière, de se laisser guider par leurs désirs.

L'âge moyen du mariage pour les femmes se rapproche de celui des hommes : 28 ans. En 1996, plus de la moitié des diplômées universitaires entre 25 et 29 ans étaient célibataires (contre un tiers en 1970, année où 65 % des femmes étaient mariées avant 25 ans). Alors qu'autrefois les filles avaient peur de ne pas se marier, aujourd'hui, ce sont les garçons qui ne sont pas aussi certains de trouver une épouse.

En raison de leur autonomie et de la diversification de leurs références (expériences, meilleure connaissance de l'étranger), les jeunes Japonaises sont souvent en porte-à-faux par rapport aux garçons du même âge qui, moins mûrs, sont déroutés

Les époux et le cortège d'un mariage shinto.
Les Japonais se marient plus tard et divorcent davantage. En 2003, le nombre des mariages était légèrement en baisse (-4,7 %) par rapport à l'année précédente. Et le taux de mariage pour 1 000 habitants (6) restait inférieur à celui des États-Unis (8,9). L'âge moyen était 28 ans pour les garçons et 27 ans pour les filles. La même année, le Japon enregistrait un record dans les divorces (en augmentation de 5,5 % sur l'année précédente) amenant le taux de divorce à 2,3 pour 1 000 habitants (États-Unis : 4,3). Les mariages tardifs et l'augmentation du travail des femmes se traduisent par une diminution de la natalité : si en 1974 une Japonaise avait en moyenne 2,05 enfants, ce taux est tombé à 1,32 en 2003.

Jeunes filles à Osaka.

Page de droite : Fillettes pendant la récréation d'une école primaire.

par leurs compagnes. Et désormais, la vie d'un jeune couple nippon dépend largement du style de vie choisi par la femme. Le « *double income, no kids* » (« double salaire, pas d'enfant ») est en vogue chez les jeunes couples. Une réforme du Code civil doit en outre permettre à la femme de conserver son nom d'origine.

La nouvelle génération

L'égotisme triomphant des jeunes Japonaises risque cependant d'accentuer la dénatalité en renforçant la sociabilité entre femmes au détriment d'une meilleure communication entre les sexes.

« À moins de leur donner les moyens de s'épanouir autrement que dans une individuation réactive, les jeunes Japonaises risquent de se laisser entraîner par des aspirations très matérialistes », estime Iwao Sumiko.

Les jeunes Japonaises font l'amour de plus en plus tôt. Souvent, elles sont plus précoces que les garçons en ce domaine. (Les filles ont toujours fait l'amour avant le mariage, mais elles ne s'en vantaient pas.) Aujourd'hui, avoir une expérience sexuelle est courant chez les lycéennes. Et enfin, avec la pilule !

Alors que la « pilule bleue » (le viagra, remède à l'impuissance masculine) a été autorisée en un temps record, il aura fallu neuf ans de délibérations pour autoriser en septembre 1999 la vente de la pilule contraceptive : quarante ans après l'Europe et les États-Unis. L'interdiction de la pilule pendant de longues années a contribué à un taux élevé d'avortements : selon le ministère de la Santé, il y a eu 320 000 interruptions de grossesse en 2003. 30 % des grossesses seraient interrompues artificiellement.

Mais les jeunes Japonaises qui sont à l'avant-garde de la « rébellion égotiste » en cachent d'autres. La différence est grande entre celles qui sont « dans la lumière » et bénéficient de la liberté hédoniste que leur offre leur appartenance à la classe moyenne et les autres qui sont dans leur ombre : les ouvrières, les chômeuses qui acceptent n'importe quel petit boulot ou les femmes des milieux défavorisés. Dans la partie ombreuse de la planète féminine, ces Japonaises sont plus mal « loties » que les hommes sur le marché du travail.

Le féminisme japonais, qui n'est en rien une importation occidentale, s'est développé dans un contexte culturel et historique spécifique et recèle une grande richesse de problématiques. Par la multiplicité de ses voix, il est présent aussi parmi les marginaux et les laissés pour compte : minorité coréenne, handicapées, lesbiennes, immigrées, prostituées. Les Japonaises poursuivent leur évolution conformément à une culture féminine qui les incite à se placer sur un autre terrain que celui de la compétition avec les hommes ou de la « guerre des sexes ». « Les questions du féminisme occidental et japonais se ressemblent, mais pas nécessairement les réponses », écrit Anne Garrigue.

LA PILULE

Plusieurs raisons ont été évoquées pour expliquer les résistances à l'introduction de la pilule au Japon. Les considérations sur la moralité des femmes auxquelles la pilule offrirait une indépendance non souhaitée dans une société machiste sont fantaisistes : les Japonaises jouissent depuis longtemps d'une liberté aussi grande que les Occidentales en matière sexuelle. Les autorités ont longtemps fait valoir que la pilule risquait de faire reculer l'utilisation du préservatif (principale forme de contraception pratiquée) et d'aggraver les risque de diffusion du sida. Le lobbying des médecins avorteurs (un avortement rapporte plus qu'une ordonnance de pilule !), épaulés par des politiciens gravitant autour du ministère de la Santé, est un autre facteur souvent invoqué pour expliquer la résistance à l'introduction de la pilule. Deux ans après sa légalisation, la pilule était encore peu utilisée par les Japonaises.

寿和とずっと
仲良くできますように。
向けて精一杯努力して
ゆけますように。
横浜市港南区
日野南1-30-26
伏見稲荷大社
かなと結婚して
幸せになれますように
伏見稲荷大社
家内安全

Une religiosité flottante

Ci-dessous : Une foule de fidèles se rassemble pour une célébration dans le sanctuaire de Kitano Tenman-gu à Kyoto.

Page 82 : Ex-voto (ema) du dieu renard, suspendu dans le sanctuaire de Fushimi, consacré à Inari, à Kyoto.

Pour celui qui regarde ce pays en fonction des repères religieux occidentaux, le Japon paraît fort déroutant. Une grande tradition d'origine locale, le shinto, souvent rangé dans la catégorie « animisme », fait figure de religion nationale. Mais le Japon s'inscrit par ailleurs dans l'univers du bouddhisme Mahayana, celui du Grand Véhicule, c'est-à-dire la tradition répandue dans la sphère culturelle chinoise. Il appartient aussi au système de références éthiques, appelé communément confucéen, qu'il partage également avec le monde sinisé. Pour compliquer encore le panorama religieux, le Japon compte aussi des chrétiens, certes très minoritaires, et des musulmans qui le sont encore plus. À cela on peut ajouter une floraison de sectes issues des religions établies.

Si les Japonais se répartissaient eux-mêmes entre ces grandes croyances et ces sectes, les choses seraient à la rigueur assez simples : il suffirait de caractériser ces cultes, d'indiquer le nombre des croyants et le tour serait joué. Mais on s'aperçoit vite que la situation ne se plie pas à ce « cadrage » et que penser le fait religieux au Japon en ces termes renvoie à une conception biaisée par nos propres représentations. Une fois de plus, il faut décentrer notre approche.

Dans les sociétés chrétiennes ou musulmanes, les catégories religieuses fonctionnent comme des identités exclusives : si l'on est chrétien on n'est pas musulman, si l'on est juif on n'est ni protestant ni catholique et si l'on se déclare athée c'est que l'on rejette toute croyance. Or, au Japon, pratiquer une religion ne signifie pas exclure les autres, et d'ailleurs les cultes que compte l'archipel sont loin de former des communautés cloisonnées et étanches. Ainsi, les Japonais ne sont-ils pas partagés entre shinto et bouddhisme : ils sont tour à tour shintoïstes ou bouddhistes, voire a-religieux, non pas selon l'air du temps mais selon l'usage social qu'ils font de ces pratiques religieuses.

Une femme en prière. Elle tient dans ses mains un ex-voto (ema) sur lequel est inscrit un vœu.

Bon, dira l'Occidental, s'ils sont tout à la fois shintoïstes, bouddhistes et autres, c'est qu'au fond d'euxmêmes ils ne sont pas croyants et que la religion n'est qu'un code social, une convention, qui n'a rien à voir avec la foi. Certes, la pratique religieuse, au Japon – comme en Occident au demeurant – a aussi pour fonction de réactiver le lien social. Peut-on pour autant dire que, sous prétexte qu'il n'y aurait pas de conviction forte ou d'appartenance hautement proclamée à un culte, la religion ne serait qu'un code social ? Certainement pas. Il existe chez les Japonais une « religiosité flottante », un sentiment religieux de nature peut-être plus sociale que personnelle, mais qui n'en est pas moins ancré dans les mentalités et s'exprime dans des pratiques et dans des rites auxquels s'ajoute chez beaucoup tout un fatras de petites croyances, voire de superstitions remontant à la nuit des temps.

Divinations, respect d'interdits de direction (par exemple le nord-est est néfaste : c'est le lieu du

SUPERSTITIONS ?

Il n'est pas rare de faire venir un géomancien pour assurer l'orientation d'une maison à construire afin de prévenir toute influence néfaste. Il y a des jours fastes et d'autres qui ne le sont pas. La consultation des diseurs de bonne aventure ou des chamans (*miko*, *itako*) reste répandue. Les Japonais croient sans y croire à ces pratiques, jalons rassurants apaisant les inquiétudes de la vie.

démon) sont des pratiques encore vivantes. Les Japonais y croient plus ou moins. Mais personne ne se moque de ce vieux fond de croyances et de superstitions ancestrales. Il y a dans ce « folklore religieux » autre chose qu'un résidu de croyances anciennes : beaucoup de Japonais y cherchent un apaisement aux inquiétudes de la vie.

Par ailleurs, dans le paysage religieux du Japon contemporain, les sectes, dénommées « nouvelles religions », constituent un phénomène majeur. L'archipel compte un nombre impressionnant d'organisations religieuses (185 000) dont beaucoup ne sont cependant que des groupuscules. Les nouvelles religions offrent un enseignement plus proche des préoccupations quotidiennes et un salut tourné vers le présent. Ce ne sont pas à proprement parler des croyances nouvelles : elles puisent en effet leur dogme dans le fond de syncrétisme religieux local, parfois mâtiné de concepts empruntés au christianisme.

Héritages mythiques

Fidèles de la secte shingon en pèlerinage dans un temple du mont Koya. Pour ces pèlerinages, on s'habille en blanc.

Sous l'appellation de « shinto » (la Voie des dieux) on regroupe un ensemble de croyances populaires qui remontent sans doute à la protohistoire : une partie des légendes et des mythes transmis orale-

L'ÉMERGENCE DES SECTES

L'apparition des sectes est liée à des périodes de transformations sociales. À une première vague au XIXe siècle correspondant à la période de modernisation, succéda une seconde au lendemain de la guerre avec l'émergence de grandes « nouvelles religions » d'obédience bouddhique, aujourd'hui les plus importantes, telles que Soka Gakkai ou Reiyukai (nées avant-guerre mais qui se développèrent par la suite). La troisième vague correspond à la période de prospérité, à partir des années 1970. À la différence des sectes antérieures, les relations entre le fondateur et les fidèles sont plus directes. Les croyants sont en général de jeunes citadins souvent fascinés par les forces surnaturelles. Certaines de ces sectes peuvent sombrer dans un délire meurtrier : ce fut le cas de la secte Aum Shinri kyo, responsable de l'attentat au gaz sarin dans le métro de Tokyo en mars 1995 (12 morts et plusieurs milliers d'intoxiqués).

ment ont été retranscrits au début du VIIIe siècle dans des chroniques impériales, le *Kojiki* (« Recueil des choses anciennes », 712) et le *Nihon shoki* (« Chronique du Japon », 720). Ces chroniques avaient pour objectif de légitimer la maison impériale en la liant au passé mythique du pays et de constituer un corpus local cohérent pour faire pièce aux discours politiques chinois plus universalistes. L'ensemble de ces mythes, de ces croyances et des pratiques rituelles a été rassemblé dans un système plus cohérent à partir du XIVe siècle, époque au cours de laquelle on commence à le désigner sous le nom de shinto. Mais ce n'est qu'à partir de la fin du XVIIIe siècle, avec l'émergence du mouvement nativiste des Études nationales (*kokugaku*), que les lettrés japonais ont redécouvert ces chroniques impériales semi-oubliées et leur ont donné un statut qu'elles n'avaient jamais eu jusqu'alors : celui de textes susceptibles de justifier une critique du régime shogunal. En proclamant une continuité ininterrompue de la dynastie impériale depuis ses origines mythiques, en faisant du premier empereur légendaire, Jimmu, le petit-fils de la déesse du soleil Amaterasu, les récits mythiques redécouverts ont fourni une légitimation au nouveau régime monarchique Meiji, qui succède à l'Ancien Régime en 1868.

Avec la restauration impériale et la création d'une monarchie moderne, le nouveau gouvernement

Ci-dessus : Le tengu, figure monstrueuse au long nez vivant dans les montagnes, fait toujours partie de l'imaginaire religieux.

Un shimenawa au sanctuaire Fushimi Inari à Kyoto. Cette corde de paille torsadée à laquelle sont attachées des bandes de papier pliées en zig-zag symbolise le lien entre la divinité et les hommes qui la vénèrent.

cherche à s'appuyer sur ces corpus pour créer une véritable religion d'État, qu'on désigne d'ailleurs au Japon sous le nom de shinto d'État. Au centre de cette religion politique, la figure impériale, considérée comme une divinité vivante, est placée au cœur de la mystique nationaliste. Cette construction politique, qui émerge avec celle de l'État-nation, s'effondre avec la défaite de l'Empire, quand l'empereur lui-même avoue le 1er janvier 1946 qu'il n'est pas un *kami* (une divinité), mais bien un être humain. On notera qu'aucun Japonais ne fut vraiment surpris et ne contesta la validité de l'affirmation... Personne ne se sentit trahi dans sa « foi ». Malgré la propagande et l'hystérie nationalistes de la période immédiatement précédente, peu nombreux étaient ceux qui adhéraient profondément à cette construction politico-religieuse. Le nationalisme bien réel des populations japonaises avant et pendant la guerre avait sans doute des racines plus profondes, allant bien au-delà des discours officiels sur la religion d'État. Celle-ci s'effondrait d'elle-même avec la défaite militaire.

Mais il est un autre shinto, plus populaire, d'origine nettement agraire, qui constitue un ensemble religieux local d'une autre portée : il ne s'est pas effondré avec le mythe de la divinité impériale. On retrouve des cultes populaires d'une nature pas si différente dans la plupart des pays d'Asie

orientale et d'Asie du Sud-Est (les dieux du sol en Chine par exemple). Ces cultes n'ont pas été recouverts par la pénétration du bouddhisme. Contrairement au christianisme ou à l'islam, religions monothéistes qui ne s'accommodent guère de la persistance des croyances locales, le bouddhisme est tolérant et les cultes populaires ont perduré, au Japon comme ailleurs en Asie. Mais alors qu'en Extrême-Orient, ces cultes étaient méprisés par les élites politiques à la recherche de constructions religieuses plus élaborées, au Japon les pouvoirs ne se sont jamais opposés de front à cet ensemble de croyances ; au contraire, ils ont cherché à les utiliser. Ce qui en explique sans doute la pérennité « depuis la nuit des temps ».

L'univers des *kami*

Les Japonais vénèrent des esprits, les *kami*, protecteurs de la communauté des hommes. Ces divinités habitent des lieux considérés comme sacrés et dispersés dans le paysage rural (et maintenant urbain). On y a élevé le plus souvent un *jinja* (sanctuaire), sobre construction en bois précédée d'un *torii* (portique) dans laquelle un *kannushi* (desservant shinto) célèbre des rituels, le plus souvent de purification et d'évitement de la souillure.

Innombrables (« huit cent myriades »), les *kami* sont partout : de la cuisine aux latrines en passant par le rocher d'une montagne inhospitalière, un arbre, une rivière, un animal, un site. Divinités des rizières, des eaux, du sol… Le culte shinto a conféré le caractère divin à une multitude de choses qui éveillent des sentiments d'admiration ou d'effroi. Disposant d'une force bénéfique ou maléfique, les dieux qui font partie d'un univers inaccessible à l'entendement humain peuvent être irascibles ou ombrageux : aussi convient-il d'obtenir leur bienveillance par de multiples rites et notamment des fêtes.

Le passage dans un sanctuaire implique un rite minimum. À l'entrée du sanctuaire, une petite vasque d'où sort un filet d'eau qu'on se répand sur les doigts à l'aide d'une coupe munie d'un long manche en bambou permet au fidèle d'accomplir

Jizo du temple Zojo-ji à Tokyo. Souvent coiffé d'un bonnet rouge et portant un petit bavoir, Jizo, autrefois divinité des croisements honorée aux bornes des villages, est devenu le patron de l'enfance. Il est aussi le protecteur des enfants non nés à la suite d'un avortement. Un culte ancien toujours pratiqué notamment au Zojo-ji, qui compte plus de deux mille petites statuettes de pierre de Jizo au pied desquelles sont déposées des offrandes : petits jouets, moulins à vent, etc.

GENZE RIYAKU

L'efficacité attendue de la divinité remonte au XVIIᵉ siècle – à l'époque des shoguns Tokugawa – avec l'apparition des grandes villes. Dès lors, la religion populaire est souvent décrite comme purement matérialiste. On prie la divinité pour en obtenir quelque chose, on lui fait une offrande pour recevoir un bienfait. Point de foi dans tout cela, plutôt un sens de l'échange. Les Japonais nomment cette attitude *genze riyaku* : on est en droit d'attendre des divinités des rétributions non pas dans l'au-delà, mais ici et maintenant. Assimilée à la montée de l'esprit bourgeois urbain dans le Japon pré-moderne, cette manière de concevoir le rapport à la divinité reste très majoritaire aujourd'hui.

une ablution sommaire : avant de prier la divinité, se débarrasser symboliquement des souillures de la vie quotidienne. Puis après avoir lancé quelques pièces de monnaie dans l'« aumônier », on frappe par deux fois dans ses mains pour attirer l'attention du dieu, éventuellement on secoue un lourd pendentif muni de clochettes suspendu à la porte du sanctuaire et l'on fait un vœu ou une prière. On peut aussi rédiger sur une plaquette en bois qu'on suspend à un arbre le contenu de sa demande. À lire ces courts textes, on comprend que ce qui est attendu de la divinité, c'est d'abord une intervention : réussir des examens, trouver un bon mari, donner naissance à un bel enfant, accorder la santé à ses parents, etc.

Croit-on vraiment que la divinité locale peut intervenir ? Plus ou moins. Le touriste occidental pourra être étonné de la simplicité de telles croyances et de l'absence totale de métaphysique. Bien primitif, ce shinto ! Un ami japonais vous répondra alors que l'efficacité réside dans la simplicité et que, pour la métaphysique, il faut se tourner ailleurs, vers le bouddhisme par exemple. Intrigué sinon excédé, le touriste occidental s'en prendra à son guide japonais : est-ce que vous croyez vraiment qu'il existe une divinité dans cette pierre ou dans cette cascade ? La réponse étonnera peut-être : « Je n'en sais rien, sans doute pas, mais si on n'accomplit pas les rituels, des choses néfastes pourraient bien se produire ». Point de vérité autoproclamée donc, plutôt la recherche d'un apaisement, d'une guérison, d'un bienfait. Peu importe qu'il y ait vraiment ou non un esprit dans cet arbre centenaire si cela me calme et m'apaise de le penser.

La divinité locale est d'autant plus forte qu'elle est l'objet d'un culte voyant auquel participent de nombreux habitants du quartier. On peut dire à l'extrême que la puissance de la divinité locale reflète le degré de cohérence de la communauté. Rares sont les divinités shinto qui ne reposent pas sur ce lien étroit avec le village ou le quartier. Seules celles qui sont liées aux cultes nationaux, comme par exemple le culte de la déesse du soleil à Ise, lié à la famille impériale, échappent à cet enracinement local.

Un calendrier rituel

Les *kami* doivent être honorés de manière régulière au cours de l'année. Un calendrier rituel existe donc pour chaque communauté. Ces fêtes ont lieu le plus souvent en rapport avec les principaux travaux agricoles qui scandaient la vie quotidienne et la valse des saisons. Le jour de la fête religieuse, l'autel portatif placé dans l'endroit le plus profond du sanctuaire est fréquemment transporté sur un char, selon un parcours immuable. La divinité « reconnaît » ainsi les lieux qui forment les bornes principales du territoire de la communauté et où sont souvent disposés de petits autels.

C'est toujours l'occasion de grandes festivités. Après l'effort du défilé, les membres de la communauté festoient et boivent.

Ci-dessous : Danse de cour à l'occasion d'une reconstitution historique du grand sanctuaire d'Ise.

Page de gauche : Horoscopes bouddhistes ou shinto (omikuji) accrochés à l'extérieur des bâtiments sacrés.

LA BOISSON DES DIEUX

Au Japon, le saké à base d'alcool de riz est par excellence la boisson des dieux. S'enivrer le jour de la fête, sous le regard de la divinité, n'est pas considéré avec sévérité, bien au contraire. Le bruit, les tambours et les flûtes, la joie exprimée par la communauté à l'occasion du *matsuri*, constituent l'expression même de la vitalité de la divinité et donc de sa puissance protectrice. Pour certaines de ces fêtes particulièrement grandioses – la fête de Gion à Kyoto en juillet est une des plus célèbres du Japon et attire plusieurs centaines de milliers de personnes le long des cortèges – les spectateurs et touristes viennent en foule et les membres de la communauté, salariés dans les grandes métropoles, n'hésitent pas à retourner dans leur village d'origine pour participer à la joie collective. Moyen de réaffirmer son identité dans le cadre d'un terroir, de confirmer les solidarités locales, de retrouver ses parents et de renouer avec ses amis d'enfance.

Du coup, le shinto populaire possède ce caractère peu ordinaire d'être une religion qui exalte la vie, la communauté, la nature, sans la moindre contrepartie morale ou idéologique (autre que celle qui en fit un élément de l'édifice nationaliste d'avant-guerre). Tout sauf inquisiteur, le shinto laisse les fidèles libres d'accommoder leur pratique à la religion. On présente aux divinités ses vœux le premier jour de l'année, on leur présente aussi le bébé né récemment dans une cérémonie qui a été inventée en référence au baptême chrétien à l'époque Meiji. De même qu'on fait appel le cas échéant au prêtre shinto pour célébrer un mariage, là encore rite « inventé » pour faire pièce à la solennité du mariage chrétien occidental (rappelons pour mémoire que dans la société japonaise d'autrefois et jusqu'à des époques pas si lointaines, il n'était pas rare que les hommes entretiennent en plus de leur femme officielle des concubines et que le mariage n'a jamais ici eu de caractère sacré). Les enfants habillés en kimono de cérémonie se rendent aussi au sanctuaire accompagnés de leurs parents au cours de leurs 3e, 5e et 7e années, les 3 mars (pour les petites filles), les 5 mai (pour les petits garçons).

Toutes les cérémonies liées au commencement, à l'inauguration, à l'enfance se déroulent ainsi le plus souvent au sanctuaire shinto, ainsi que les fêtes votives liées au culte d'une divinité particulière. Aussi, le shinto moderne apparaît-il plus sous

Personnes en prière au sanctuaire de Fushimi, à Kyoto, au cours de la fête du feu (ohitaki).

Page de gauche : Ex-voto de bois dans le sanctuaire de Kitano à Kyoto.

la forme d'un ensemble de cultes et de fêtes à ca-ractère somme toute bon enfant, familial et dénué de toute dimension tragique. D'où l'attachement populaire à cette religion.

Le monde des bouddhas

Le bouddhisme fut introduit en même temps que les premiers éléments de la civilisation chinoise au VIe siècle. Longtemps confiné aux cercles de la cour impériale de Kyoto, religion de protection de l'État, le bouddhisme japonais ne devient guère une religion populaire proprement dite avant le XIIIe siècle, à l'époque de Kamakura, quand les en-seignements amidistes se répandent dans les couches populaires et en province. Face à l'ami-disme – foi dans la capacité du bouddha Amida à sauver tous les hommes pour les emporter dans le paradis de la Terre pure – le zen importé de Chine au XIIe siècle se répand dans les couches guerrières notamment, et devient la version élitiste du boud-dhisme, conjuguant réflexion philosophique abs-traite et exercices méditatifs.

Très différent des grandes religions monothéistes occidentales, le bouddhisme est-il vraiment une religion ou la forme particulière prise par la phi-losophie dans la tradition orientale ? Sans doute

À la différence du christianisme qui repose sur quelques textes fondateurs et sur les enseignements d'une Église qui maintient une orthodoxie, le bouddhisme se scinde dès l'origine en écoles (désignées également sous le terme de sectes) qui interprètent les *sutras*, c'est-à-dire les textes sacrés rédigés par les disciples du bouddha Gautama, le Bouddha historique. Ces écoles dessinent, en particulier dans le cas du Japon, un cercle assez large de doctrines qui n'ont pas prétention – sauf dans le cas de la secte du Lotus fondée par Nichiren, dont une branche moderne, la Sokagakkai (« excommuniée » par la secte-mère) reste très prosélyte – à détenir une vérité absolue et définitive.

les deux. Tout dépend bien sûr de l'école considérée : l'amidisme, l'ésotérisme shingon, la secte de Nichiren sont sans aucun doute des courants qui inspirent des formes de pensée très religieuses. C'est moins vrai dans le cas du zen qui se présente plutôt comme une technique de méditation rapportée à l'individu. Mais dans tous les cas, les écoles bouddhistes japonaises véhiculent une vision du monde, une doctrine et une métaphysique assez éloignées des modes religieux occidentaux.

Le bouddhisme insiste – avec plus ou moins de force selon les écoles – sur la nécessité d'accomplir des exercices : prières, invocations, exercices de méditation, ascèse, pratiques qui toutes convergent dans le sens d'une quête. Alors que dans le christianisme ou l'islam, la foi est au cœur de la religion et les pratiques ne sont que la manifestation de cette foi, dans le bouddhisme c'est la recherche qui est au centre, avec sa part d'échec, de renonciation, donc de relativité. C'est pourquoi le bouddhisme se présente rarement sous une forme totalitaire, absolue ou exclusive. « Nombreux sont les chemins qui mènent au sommet du mont Fuji, mais certains sont moins escarpés que d'autres », dit le proverbe bouddhiste nippon pour illustrer le caractère multiple et relatif des quêtes religieuses. Conséquence partielle de cette conception du monde : le bouddhisme se veut tolérant. Il accueille les cultes shinto en intégrant ses divinités dans son panthéon comme des manifestations locales, des avatars des bouddhas. À la suite de l'introduction du bouddhisme au Japon s'est opéré un syncrétisme entre shinto et bouddhisme : une « bouddhisation » des *kami*, qui a résisté dans les mentalités à la séparation des deux religions à l'époque Meiji, lorsque le shinto de-

Le Grand Bouddha du temple Todaiji à Nara date de 751. Monumental édifice en bois, le temple recèle des œuvres d'art des époques anciennes et médiévales dont cette imposante statue haute d'une quinzaine de mètres.

Page de gauche : Devant le temple du Nishi Honganji, siège de la Véritable Secte de la Terre pure (amidiste) à Kyoto.

vient l'armature spirituelle du système politique. Et de nos jours on trouve fréquemment des sanctuaires shinto dans l'enceinte d'un temple ou d'un monastère bouddhiste.

Le culte des *kami* est donc non seulement admis, mais même encouragé par le bouddhisme.

Par le passé, les écoles bouddhistes pour leur part n'ont jamais été en rivalité véritable les unes avec les autres, sauf aux temps médiévaux (XIIe-XVIe siècles) où les monastères étaient aussi de grands domaines privés et où les moines se militarisaient pour résister à la pénétration illicite de forces armées sur leurs terres. De même la volonté fort imprudente de certains membres du nouveau régime Meiji dans les années 1870 de séparer clairement cultes bouddhistes et shinto afin de créer une nouvelle religion d'État purifiée, s'est heurtée à une forte résistance des populations, et cette politique, après quelques excès, a été vite abandonnée. Cette tolérance – loin des fondamentalismes et intégrismes chrétiens, juifs et musulmans d'aujourd'hui – rend les Japonais très interrogateurs sur les conflits « religieux » qui ensanglantent la planète depuis l'Irlande jusqu'au Moyen-Orient. On ne trouvera qu'à grand-peine dans l'histoire japonaise des conflits qui ressemblent à des guerres de religion. Les penseurs bouddhistes hétérodoxes du XIIIe siècle sont tout au plus expulsés de la capitale et exilés en province. Au XVIe siècle, le christianisme est considéré au Japon avec un intérêt relatif : ne s'agit-il pas là d'une nouvelle école

PATRIOTISME BOUDDHIQUE

Au Japon, le bouddhisme tomba dans la dérive ultra-nationaliste à la suite du shinto, devenu la clé de voûte spirituelle du système politique qui allait conduire le pays à la guerre. À la suite de la restauration de Meiji qui mit à bas le régime shogunal (1868), le bouddhisme perdit du terrain face au shinto d'État, et sa hiérarchie réagit en élaborant une version bouddhique du patriotisme. Les grandes sectes ne se contentèrent pas d'une légitimation théorique d'une «guerre juste», elles envoyèrent aussi des aumôniers au combat, organisèrent des rites propitiatoires pour demander la victoire et l'annihilation des États-Unis et contribuèrent à l'endoctrinement de la population en soulignant le lien étroit qui existerait entre foi et prouesses militaires. La collaboration culmina dans les années 1930-1940 avec le «bouddhisme de la voie impériale». Il y eut des résistances mais elles ne constituèrent jamais un mouvement organisé.

Ci-dessus: Une femme touche avec dévotion le grand torii qui constitue l'entrée par la mer du sanctuaire Itsukushima dans l'île de Miyajima; le torii n'est accessible qu'à marée basse.

qui a, peut-être, sa part de vérité? Et l'éradication violente du christianisme au début du XVIIe siècle est le fait d'une volonté politique, celle du shogun: elle n'a été ni provoquée, ni revendiquée par les moines bouddhistes.

La tolérance du bouddhisme doit cependant être nuancée. Comme d'autres religions, le bouddhisme est un pouvoir dont les intérêts temporels ne sont pas toujours respectueux des valeurs qu'il professe. Certes il repose sur la compassion universelle et le refus d'enlever la vie au moindre être vivant, mais il n'en a pas moins pu à certaines époques légitimer le recours à la violence.

Le bouddhisme favorise des comportements relativement fatalistes (les Japonais ont tendance à se plier au réel) et constitue le creuset d'un certain conformisme social. La souffrance, l'inégalité, la misère qui touchent une partie de la population sont certes regrettables mais sont le fruit de l'action des hommes eux-mêmes. Ceux qui souffrent touchent là le fruit de leurs actes ou d'une existence antérieure. Nous sommes les fils de nos actes en quelque sorte, et les gens n'ont au fond que ce qu'ils méritent. D'où une culpabilité certaine chez ceux qui échouent dans la société et le peu d'empressement des organisations bouddhistes (encore que certaines soient très efficaces) à s'intéresser par exemple au sort des plus démunis.

Les sans-abri, dont le nombre a considérablement augmenté avec la crise que traverse le pays depuis une dizaine d'années, ne peuvent compter que très secondairement sur la charité de la population. La tradition charitable a certainement ici moins de racines que dans les sociétés chrétiennes par exemple. Pris entre la culpabilité de l'échec et l'indifférence relative des nantis, les sans-abri voués à eux-mêmes sont silencieux, discrets, la plupart ne demandent jamais la charité. Ils survivent parce que la société japonaise est une société d'abondance où il est toujours possible de récupérer des biens ou des produits. Mais les associations caritatives chrétiennes ou non-religieuses sont souvent plus présentes et dynamiques que leurs homologues bouddhistes. Le fatalisme qui s'empare souvent des Japonais confrontés à l'accident ou à la mort brutale renvoie à cette vague culpabilité, voire à l'idée d'une souillure ancienne liée à la personne défunte ou à ses fautes commises dans une autre vie.

Au Japon, les âmes des défunts sont censées voyager : après avoir gagné le royaume des morts, elles reviennent lors de leur fête, O-bon (à la mi-août). Puis, ces visiteurs invisibles repartent vers l'autre monde, symbolisés par des bougies allumées dans un lampion sur un minuscule radeau, entraînées par le flot des rivières. Certains trépassés n'ont cependant pas une destinée aussi paisible. En cas de mort violente ou en état de rage ou de passion, l'âme inapaisée du défunt devient un « esprit

UNIVERS ENCHANTÉ

Les Japonais croient-ils aux fantômes ? Certains en parlent sérieusement. Pour les autres, ils font partie d'un merveilleux un peu désuet : un terroir imaginaire qui en tout cas nourrit littérature et iconographie. Le théâtre No, qui emprunte au fantastique une bonne partie de son répertoire, le kabuki, qui sut élever cette terreur sacrée des revenants au rang de la dramaturgie, et un des plus grands écrivains de son époque, Ueda Akinari (1734-1809), avec les *Contes de pluie et de lune* (Gallimard), donnèrent leurs lettres de noblesse au fantastique et aux histoires de revenants.

Le peintre Maruyama Okyo (1733-1795) créateur d'un fascinant fantôme féminin ou le maître de l'estampe Hokusai (1760-1849) furent friands de surnaturel.

Aujourd'hui, les fantômes appartiennent à l'univers familier et enchanté d'autrefois : ils répondent à un goût pour l'insolite, le grotesque et le surnaturel qui imprègne l'imaginaire nippon.

Tirage au sort d'horoscopes dans un temple de Kyoto.

Moines qui font la quête en demeurant immobiles dans les rues de Kyoto.

errant ». Ces morts tourmentés n'appartiennent plus au monde des vivants mais ils ne parviennent pas à s'en détacher dans leur quête pathétique d'un ancrage ou d'une vengeance.

Les moines bouddhistes sont surtout présents dans la société contemporaine pour traiter la mort et la question de l'au-delà. Quel que soit le milieu social, il est difficile au Japon d'imaginer des funérailles autres que bouddhistes, même dans les familles les plus incroyantes. C'est donc le moine bouddhiste qui est sollicité lors de funérailles pour réciter les prières et les *sutra*. Sur les tombes, on trouve en grand nombre, gravées sur la pierre tombale ou calligraphiées sur un piquet en bois, des formules récitatives qui invoquent le bouddha Amida ou le *sutra* du Lotus. Et les cérémonies organisées dans les temples sont pour l'essentiel des rites en mémoire des défunts et des ancêtres.

La nébuleuse confucéenne

La tolérance du bouddhisme et du shinto n'en font guère des religions imposant un cadre moral rigide. Enfreindre les enseignements du Bouddha, c'est finalement allonger d'autant son cheminement vers la sérénité. Le confucianisme en revanche, morale politique et familiale, introduite au Japon en même temps que le bouddhisme, quand l'archipel commença aux VIᵉ-VIIᵉ siècles à absorber la civilisation chinoise, constitue un ensemble de règles morales plus contraignantes qui marquent encore certains comportements sociaux.

Si les préceptes de Confucius et de ses principaux disciples étaient connus des élites de la cour impériale ou des grandes dynasties guerrières, ils restaient largement étrangers à la masse de la population avant le formidable développement d'une société bourgeoise aux XVIIᵉ-XVIIIᵉ siècles. Devenue, du moins dans sa version dite néo-confucianiste, l'idéologie dominante du régime Tokugawa (1603-1867), cette pensée a pénétré dans les couches populaires par le biais de l'éducation, enseignée dans les *juku*, les écoles privées. Ces écoles où les bases de l'écriture, du calcul et de la morale étaient enseignées aux enfants par des moines, des guerriers, et aussi des femmes, s'appuient sur des ouvrages de référence, des manuels scolaires en quelque sorte, où les préceptes moraux du confucianisme constituent les éléments centraux. On apprend à lire et à écrire dans les Analectes de Confucius, les Cinq Classiques, les Quatre Livres et les textes des grands penseurs chinois confucéens. Fidélité, loyauté, bienveillance, piété filiale sont données en exemple aux jeunes Japonais. Cette tradition d'enseignement s'est maintenue pendant la période de modernisation : les préceptes moraux confucéens étaient enseignés avant-guerre dans les écoles primaires et imprégnaient les manuels de lecture et d'écriture.

Depuis 1945, l'influence du confucianisme est plus difficile à déceler en dehors des cours de littérature classique ou de

Vente d'amulettes (omamori), porte-bonheur au Todaiji de Nara. Ces amulettes sont censées protéger contre les maladies, les accidents, etc.

Procession lors de la célébration de la fondation mythique du sanctuaire Ise.

Page de droite : Visite an sanctuaire à l'occasion du début d'année.

chinois classique suivis au collège et au lycée. Le respect dû aux anciens, aux professeurs (tous, y compris celui qui vous enseigne le code de la route ou les rudiments du judo) ne sont pas des mots tout à fait vains. L'idée que l'on peut s'améliorer constamment par l'étude, et que l'accès au savoir se paie et même se paie cher est très présente dans le Japon d'aujourd'hui, comme dans la plupart des sociétés d'Extrême-Orient (Chine, Corée, Vietnam).

L'ancienne tradition confucianiste d'enseignement de maître à disciple n'est sans aucun doute pas étrangère à la multiplication des écoles, de cours privés où l'on enseigne les disciplines scolaires mais aussi bien d'autres choses (la pâtisserie viennoise, l'art floral, l'art du thé ou le tango argentin…). « L'enfer des examens », qui oblige les écoliers et les étudiants japonais à passer bien des nuits blanches – ce qui est d'ailleurs encore une fois le cas en Corée et en Chine – provient sans aucun doute de cette notion selon laquelle l'éducation, qui donnait accès autrefois au rang de lettré, est un facteur d'ascension sociale fondamental. Il le demeure dans le Japon d'aujourd'hui et le confucianisme n'y est sans doute pas étranger.

Reste que le confucianisme ne constitue pas au Japon un ensemble très structuré. L'un des éléments fondamentaux du confucianisme chinois est le culte des ancêtres : ce dernier est très peu présent au Japon, d'autant que les rituels funéraires sont systématiquement confiés aux moines bouddhistes. Il est donc bien difficile de dire ce qu'est exactement le confucianisme dans le Japon d'aujourd'hui.

Plus que le confucianisme lui-même, c'est l'usage que l'on fait de ses valeurs qui est intéressant. Quand le système de salaire à l'ancienneté s'est développé dans les relations employés-employeur au cours des années 1950 parce que la main-d'œuvre qualifiée était rare et mobile, on a fait appel pour justifier les nouveaux contrats de travail à la tradition confucianiste. L'employé modèle devait être fidèle et loyal (*chu*) à l'entreprise. En échange, celle-ci devait prodiguer aux travailleurs sa bienveillance (*jin*), c'est-à-dire l'emploi et les prestations sociales. Une construction empruntée au confucianisme. Mais l'image à caractère pédagogique s'est peu à peu autonomisée et certains commentateurs pressés ont vu dans ce système une adaptation du capitalisme à un environnement confucianiste, donc un modèle impossible à transplanter ou à imiter.

Ci-dessous : Autel shinto.

Page de droite : Une femme en prière au temple Toji, pendant la cérémonie qui commémore chaque mois la mort de Kobo Daishi (774-835), fondateur de l'école shingon, l'une des composantes de l'ésotérisme japonais.

Apaisement plus que vérité

Au bout du compte, comment définir le sentiment religieux des Japonais ? On dit souvent que le Japonais naît, grandit et s'amuse shinto, s'éduque confucéen, se marie chrétien, vit dans l'irréligion et meurt bouddhiste ! Cette image rapide possède sans aucun doute sa part de vérité. La religion au Japon se caractérise par un pragmatisme profond, une allergie aux dogmes, une absence de référence religieuse précise, une horreur de l'exclusivisme et des structures fixes. Pas de paroles de vérité, pas de conceptualisation : si la vérité fait du bien, alors c'est la vérité. Peu importe qu'une religion soit bonne ou vraie, l'essentiel c'est qu'elle soit efficace. On recherche dans la religion sans doute plus un apaisement, une guérison des maux de ce bas monde, qu'une vérité et une transcendance.

La religion chrétienne séduit par sa vision de la personne ou une certaine conception de la famille par exemple. Mais on n'en devient pas pour autant chrétien (2 % de la population seulement) car la morale et les vérités chrétiennes renvoient à quelque chose perçu sans doute comme trop idéal et trop lointain, voire trop agressif.

La multi-appartenance des Japonais à des religions distinctes apparaît en pleine lumière dans les statistiques : selon une enquête récente menée conjointement par le journal *Mainichi* et la chaîne de télévision nationale NHK, 70 % des Japonais n'éprouvent aucun sentiment religieux. Pourtant, lorsque l'on additionne le nombre des membres des différentes organisations religieuses, on arrive au chiffre de 215 millions de fidèles…

alors que le Japon ne compte que 127 millions d'habitants. Ce qui signifie que pour les Japonais, appartenir à des communautés religieuses différentes n'est en aucune façon une attitude surprenante. Et que participer à un culte religieux sans avoir la foi au sens strict fait partie de ces attitudes qu'on retrouve quotidiennement dans ce pays.

Un Japonais peut donc parfaitement aller faire ses dévotions le 1er janvier au sanctuaire shinto du quartier et s'engager activement dans les *matsuri*, les fêtes religieuses en l'honneur de la divinité locale qui scandent la vie du quartier ou du village. Le même peut avoir le nom de ses ancêtres inscrits sur les tablettes funéraires du temple bouddhiste voisin, un temple zen par exemple, et par ailleurs participer aux cérémonies religieuses organisés dans un temple d'obédience amidiste parce que c'est là qu'est enregistrée la famille de son conjoint. Le même peut déclarer par ailleurs à qui veut l'entendre qu'il n'est pas religieux… Un autre peut commander des funérailles bouddhistes pour un membre – non croyant – de sa famille qui vient de décéder après avoir dépensé une grosse somme d'argent pour le mariage de sa fille célébré selon les rites shinto puis béni dans une chapelle chrétienne devant un curé ou un pasteur ! Fou (ou occidental…) serait celui qui aurait à y redire…

CHRÉTIENS CACHÉS

« Notre cœur est le même que le vôtre ». C'est ainsi qu'en 1865, quelques années après que le shogunat eut autorisé les missions à revenir au Japon, trois Japonaises qui s'étaient aventurées dans la petite église d'Oura à Nagasaki s'adressèrent au Père Petitjean des Missions étrangères de Paris. Par cet émouvant aveu, elles révélaient que la foi chrétienne avait survécu aux persécutions et à une interdiction de deux siècles et demi. Elle s'était maintenue dans les îles d'Amakusa et de Goto (Kyushu) grâce à ceux que l'on nomma les « chrétiens cachés » (*kakure kirishitan*). Ils étaient une dizaine de milliers, descendants des 150 000 chrétiens recensés au moment de l'interdiction. Ils psalmodiaient sans les comprendre des bribes de prières transmises oralement mêlant latin et portugais. Aujourd'hui encore certains sont restés attachés à ce culte ancestral non reconnu par Rome.

L'architecture de l'esprit

Le rapport homme-nature

L'éphémère

La valeur de l'âge

L'individu dans le tout

Du rituel au portable

Vue du jardin du temple Hasedera (Kamakura).

Page 104 : Un moment de l'art du thé…

À travers des comportements, des attitudes et des usages s'expriment des conceptions du monde, de la nature et du temps qui constituent une sorte d'« architecture de l'esprit » à partir de laquelle se construit la place de l'individu dans la communauté. De même que l'héritage gréco-romain et les valeurs dites judéo-chrétiennes imprègnent, consciemment ou non, la mentalité occidentale, certaines conceptions de la vie, autochtones ou empruntées à la Chine puis mâtinées d'apports locaux au point de n'être plus perçues comme d'origine étrangère, déterminent les manières de penser et d'agir des Japonais. L'une des poutres maîtresses de leur « architecture de l'esprit » est le rapport qu'ils entretiennent à la nature.

Le rapport homme-nature

Les Japonais apparaissent habités par un sentiment particulier de symbiose entre l'homme et la nature. Un attachement qui transparaît dans des attitudes populaires contemporaines : y a-t-il un autre pays où la météo suit quotidiennement l'avancée du « front » de floraison des cerisiers qui du sud remonte vers le nord annonçant le printemps ou le « front » de rougissement des érables qui, lui, descend du nord et marque le début de l'automne ? Quel peuple aime à ce point écouter le chant des oiseaux ou des insectes, admirer la lune ? Quelle langue est aussi riche pour rendre les plus infimes variations des saisons ou des éléments (la pluie, le vent) ? interroge le géographe Augustin Berque.

L'attachement des Japonais à la nature, élevé au rang d'esthétique et célébré dans l'art figuratif ou dans la littérature, peut cependant aussi paraître paradoxal : rarement un pays se sera livré à une telle déprédation de son environnement comme ce fut le cas au cours de la période de Haute Croissance économique, au début des années 1960. Un saccage auquel se sont ajoutées les agressions du tourisme de masse : le Japonais ne se comporte guère mieux envers l'environnement naturel que n'importe lequel de ses congénères venus d'horizons culturels différents. Une destruction de l'environnement qui fut ressentie avec désarroi par certains écrivains tel que Oe Kenzaburo (prix Nobel de littérature 1994) ou par des cinéastes comme Tsuchimoto Noriaki qui avec son film sur l'épouvantable maladie de Minamata près de Kyushu, provoquée par une pollution de la mer par des substances chimiques qui fit des milliers de victimes, contribua à éveiller les consciences.

Ce paradoxe trouve un premier élément d'explication dans l'idée force qui sous-tend le rapport des Japonais à la nature, soulignée par Augustin Berque : ce que les Japonais vénèrent ce n'est pas la nature, toute la nature, mais une certaine idée de nature, explique-t-il. Leur attachement est sélectif. Ainsi, n'est-il pas fortuit que les arts qui ont le plus exalté le naturel soient aussi les plus éla-

Jardin sec dans le temple zen du Taizo-in, à Kyoto. Alors que celui de la page de gauche se veut une représentation du «paradis» (la Terre pure du bouddha Amida), le jardin sec est une invitation à la méditation.

Fabrique de céramiques traditionnelles à Kyushu.

Page de droite : Intérieur du pavillon du thé, construit à Kyoto par Oda Urakusai (1547-1621), disciple du célèbre maître du thé Sen-no Rikyu.

borés : il y a dans le dépouillement de l'art du thé, dans la volonté de systématiser les contingences de la nature (déformation des céramiques, asymétrie du décor, élaboration sophistiquée du jardin) un « extrême maniérisme ». Dans la perception de la nature par les Japonais se fait un processus d'abstraction d'éléments privilégiés de l'environnement destinés à constituer la notion culturelle de nature, poursuit Augustin Berque.

Le rapport homme-nature dans l'archipel s'est construit tout d'abord sur une expérience existentielle : il est difficile d'ignorer la nature dans un pays où elle se rappelle sans cesse à l'homme par des catastrophes (typhons, raz de marée, séismes). Elle a été marquée ensuite par des conceptions religieuses. Alors que dans la tradition occidentale, l'homme prométhéen cherche à soumettre les forces de la nature, la tradition religieuse et esthétique nippone tend à mettre l'accent sur l'unité de la vie, sur l'harmonie entre l'homme et son environnement naturel. Dans le shinto, nous l'avons vu, la vie humaine est un des éléments du monde naturel. Une conception qui diffère profondément de celle véhiculée par le christianisme depuis le Moyen Âge, selon laquelle ce qui est naturel en l'homme est plutôt assimilé au sauvage, à quelque chose qu'il faut soumettre à la discipline, irréconciliable avec le divin. Alors que le christianisme a eu tendance à penser la nature comme mauvaise (le péché), les Japonais la perçoivent indistincte de l'homme. Ils n'établissent pas de distinction radicale entre le naturel et le divin : le panthéon des divinités du shinto, nous l'avons vu, est composé d'éléments naturels (montagnes, arbres…).

L'attachement à la nature chez les Japonais ne relève pas que d'une expérience existentielle et de conceptions religieuses. Il est aussi le produit d'une esthétique travaillée au cours des siècles qui a nourri une sensibilité presque inconsciente aux variations de la nature depuis plus d'un millénaire, notamment à travers la littérature. C'est par exemple le cas dans l'anthologie poétique *Manyoshu* (compilée au VIIIᵉ siècle) et dans la littérature de l'époque Heian (VIIIᵉ-XIIᵉ siècles), dans les journaux intimes et les romans, écrits alors essentiellement par des femmes, tels que *Notes de chevet* de Sei Shonagon (Gallimard) et bien entendu le *Dit du Genji* de Murasaki Shikibu (Publications orientalistes de France), œuvre où les variations les plus subtiles de la nature sont le reflet des états d'âme des personnages. Une œuvre dont on ne cesse aujourd'hui encore de publier des versions

LES *HAÏKU*

On trouve une autre expression de cette sensibilité à la nature dans la poétique du *haïku*, pratiquée aujourd'hui encore par des dizaines de millions d'adeptes de toute origine sociale. La tradition poétique du *haïku* (poème en dix-sept syllabes), que le poète Matsuo Basho éleva à la perfection au XVIIᵉ siècle, comprend en effet dans sa tradition classique le recours obligatoire à un « mot de saison ». Référence à telle ou telle période de l'année, le « mot de saison » a une fonction unificatrice, donnant sa cohérence à des impressions fugitives. Répertoriés dans des almanachs poétiques les « mots de saison » sont encore d'un usage très populaire, bien que des « haïkistes » contemporains appellent à se débarrasser de ce carcan. Écrire un poème demeure une pratique très répandue chez les voyageurs, qui ont des petits carnets à cet effet. Jusqu'à très récemment, le grand quotidien *Asahi* en publiait un chaque jour en première page.

en langue moderne sous la signature d'écrivains célèbres.

L'éducation scolaire s'emploie à familiariser les enfants avec la vie naturelle, notamment animale, par exemple avec les insectes (papillons, libellules, vers à soie, cigales et lucioles). Les plats de saison enfin entretiennent la sensibilité aux cycles naturels : pâte de riz et œufs de hareng symbole de prospérité, au Nouvel An ; anguilles en été pour affronter les chaleurs, potiron pour la nuit la plus longue de l'hiver, gâteau de riz enveloppé d'une feuille de bambou pour la jolie fête des garçons, le 5 mai, où sur les toits et dans les jardins des maisons flottent de grosses carpes multicolores en tissu (la carpe est symbole de vitalité). C'est aussi l'époque où l'on jette des feuilles d'iris dans le bain. Les innombrables fêtes que compte le Japon (de village, de quartier), liées au changement des saisons et aux travaux agricoles, réactivent périodiquement les correspondances entre la nature et le temps : l'équinoxe de printemps et d'automne, O-bon, la fête des morts à la mi-août.

L'éphémère

Sensibles aux cycles naturels, les Japonais se plient à l'un de leurs effets : le changement inhérent à l'écoulement du temps. Ils l'acceptent si bien qu'ils ont fait de l'éphémère, du fugace, du transitoire (dont les fleurs de cerisiers sont un symbole) l'une des sources de leur esthétique. De cette acceptation des forces de la nature, de cette soumission au monde phénoménal, aux limites de l'existence, on peut relever deux effets dans l'attitude des Japonais devant la vie. Tout d'abord, un scepticisme parfois amer, un pessimisme fondamental auquel le bouddhisme n'est pas étranger. Mais en même temps se manifeste une autre dimension de leur mentalité qui l'emporte peut-être sur le premier. Sans doute sont-ils intimement persuadés de la justesse de la parole du poète : « J'ai connu ce qui vit au milieu des rires et des pleurs : c'est rien exactement ». Mais, en même temps, ils refusent de s'arrêter devant cette certitude et trouvent au contraire dans la fragilité de la vie, dans ce *mono no aware*, « pathétique des choses » du philologue Motoori Norinaga (1730-1801), une force mobilisatrice. Une forme de sagesse qui les fait ne pas dédaigner le monde des apparences.

Cette acceptation de l'impermanence, du transitoire, les conduit aussi à ne pas chercher à résister à la durée. La culture du Japon ne vise pas à braver le temps par le monument. Elle cherche au contraire à tenir compte du travail du temps qui transforme ce que l'homme prométhéen pense impérissable, et dont l'inexorable devenir est la ruine. Lorsqu'ils veulent perpétuer l'instant, les Japonais esquivent le temps par des reconstructions périodiques, à l'identique, d'un même édifice comme le sanctuaire d'Ise : il demeure intangible, affranchi du temps en quelque sorte. Celui-ci n'est pas ici à vaincre : il fait partie du cours des choses auquel l'homme ne peut que se plier. Le temporel et l'éternel ne s'opposent pas.

Le temps est par ailleurs pensé comme une variation continue et non pas comme conduisant vers un but. Une conception qui incite à vivre le moment, à s'efforcer d'être en phase avec lui et donc disponible pour saisir ce qu'il offre et d'où sourd

Artisan occupé au travail traditionnel de l'écorce de cerisier à Kakunodate (département d'Akita).

CALENDRIERS

À l'orée du troisième millénaire, le quotidien *Asahi* publiait dans une même édition une photographie des illuminations pour le millénaire et une autre du mont Fuji au couchant, symbole de l'équinoxe d'hiver et de la dernière pleine lune de l'année. Quant aux cartes de vœux de 2000, elles célébraient sans doute le millénaire mais aussi l'entrée dans l'année du Dragon, conformément au zodiaque chinois. Autant d'illustrations de l'interférence de plusieurs temps, de plusieurs calendriers, dans la vie des Japonais : celui de la modernité (le calendrier grégorien) mais aussi d'autres hérités de leur histoire, instituant un chevauchement continuel entre un temps international, un temps national et un temps naturel, intime.

un opportunisme, entendu comme un souci d'adaptation aux situations et qui se traduit dans la vie courante ou les affaires par un grand pragmatisme. Ces conceptions de la durée et de la nature expliquent que les Japonais vivent simultanément dans plusieurs « temps » à la fois.

L'adoption du calendrier occidental fut l'une des premières mesures prises au milieu du XIXe siècle dans le souci de moderniser l'archipel en adoptant les critères de l'Occident. Mais le nouveau calendrier instaurait un temps abstrait alors que les Japonais avaient suivi jusque-là un calendrier naturel scandé par les saisons. Et longtemps, les paysans ignorèrent ce calendrier qui faisait que « la lune ne brillait plus au bon moment ».

En même temps, soucieux de bâtir un État-nation autour de la figure impériale, les dirigeants allaient « nationaliser » le temps historique afin d'établir une lignée ininterrompue de monarques censée remonter aux temps des mythes. Et c'est ainsi que 1873, année de la publication du premier calendrier solaire officiel, devint aussi la 2 533e depuis l'accession au trône de l'empereur (mythique) Jimmu (en 660 avant J.-C.)… Cette computation rocambolesque fut rapidement abandonnée au profit de celle de l'Occident; en revanche, fut maintenu le système des ères. Mais alors qu'auparavant cette décomposition du temps en périodes (héritée de la Chine) était fonction d'événements fastes ou néfastes, elle fut désormais scandée par les règnes impériaux. Aussi, aujourd'hui, les journaux portent-ils deux dates: celle du calendrier grégorien et celle de l'ère impériale (Heisei).

Au-delà du calendrier «national» des ères impériales et du calendrier «international» de la modernité est demeuré enraciné dans les mentalités un autre calendrier: celui d'un temps «naturel» qui sourd d'une conception ancestrale du monde et se traduit par une forte sensibilité aux variations saisonnières.

Dans ce chevauchement des temps, le passage au troisième millénaire n'a été pour les Japonais qu'une séquence de l'un de leurs calendriers – et sans doute pas de celui qui leur tient le plus à cœur. «Le temps des Occidentaux paraît vide alors que celui de la vraie vie est une suite d'images», dit Yamasaki Ikue, dont Laurence Caillet retrace la vie dans *La Maison Yamasaki* (Plon), un des livres les plus éclairants sur la vie d'une famille japonaise. C'est aussi un autre temps que le calendrier grégorien qui rythme la vie intime des êtres.

Ci-dessous: Desservants d'un sanctuaire shinto durant une fête liée à la célébration des saisons.

Page de gauche: Une vieille femme prend soin d'un bonzaï dans le parc du Gifu.

Les femmes âgées au Japon sont souvent membres d'associations diverses qui organisent des activités culturelles et touristiques.

Page de droite : Une image de foule à Kyoto.

La valeur de l'âge

L'âge n'est jamais caché. Il était même « affiché » autrefois dans la pratique vestimentaire des femmes (couleurs du kimono, type de chignon). Dans ce domaine aussi survivent les vieilles croyances du zodiaque chinois avec les années fastes et néfastes (33 ans pour les femmes, 42 pour les hommes). Enfin, 60 ans marque le début d'un nouveau cycle, celui du début de la vieillesse.

L'âge est aussi synonyme de l'expérience. Importante non seulement comme héritage de la tradition néo-confucéenne mais aussi parce que l'apprentissage se fait aussi par le corps. Le geste dans l'art ou le rituel du thé est sans cesse repris, poli, répété et conduit à une connaissance fondamentale, non intellectualisée, au-delà des mots. La transmission du savoir de maître à apprenti est longtemps passée exclusivement par le corps dans le monde des artisans. La création n'étant que le dépassement de ce savoir-faire maîtrisé. La maîtrise de la forme ouvre la voie à l'acquisition de la substance. C'est toute la complexité de la notion de *kata* (forme, moule) qui désigne la forme codifiée d'une pratique ou d'un comportement. Particulièrement élaborés dans les arts traditionnels (à commencer par les arts martiaux), les *kata* commandent aussi des comportements sociaux, à commencer par l'étiquette. Un formalisme qui n'est pas exempt de conformisme.

L'individu dans le tout

Ces conceptions de la nature et du temps constituent l'armature de la perception de l'individu au Japon. Pour l'Occident, tenaillé par un égocentrisme virulent qui tend à faire de l'individu une sorte de micro-Tout, les Japonais semblent singulièrement manquer d'« individualisme ». Au Japonais, docile, assujetti, un peu naïf s'opposerait l'Occidental indépendant, libre, non-conformiste, affirmant son moi. Le comportement grégaire des groupes de touristes nippons à l'étranger serait la manifestation la plus tangible de cette absence d'individualisme. Peut-être. Mais c'est oublier que le touriste occidental en voyage organisé pratique la même « consommation » du site, mais simplement dans le désordre… Ce qui est différent dans la conception nippone et occidentale de l'individu, c'est moins l'inexistence de l'individu chez les Nippons que l'équilibre qui s'établit entre celui-ci et la communauté.

Passons sur les tenaces clichés occidentaux, selon lesquels pas plus que le Japonais ne saurait dire « non », sa langue ne lui permettrait d'exprimer le « je » – c'est oublier, entre autres, que tout un genre littéraire, le *watakushi shosetsu*, est précisément fondé sur le « je » : même si la langue japonaise peut se passer d'exprimer formellement le sujet, même si elle emploie d'autres procédés que le pronom personnel, elle situe les personnes sans confusion possible. Il y a chez le Japonais aussi une claire conscience de la personne : le sujet grammatical n'est pas une importation.

Dans ce qu'il est convenu d'appeler la « tradition japonaise » existent en outre des trajectoires

L'autonomie de l'individu et le respect de la personne comme fondement de la démocratie sont autant de principes qui furent défendus par de grandes figures de la modernisation au XIXᵉ siècle, tel le penseur et vulgarisateur des idées nouvelles Fukuzawa Yukichi (1835-1901), dont les livres furent les best-sellers de l'époque. Ils sont aujourd'hui inscrits dans la constitution.

purement individuelles vigoureusement affirmées : les « voies » (du guerrier, du thé, du zen) sont des cheminements personnels s'il en fut. La vie de figures telles que Hideyoshi, le fils de paysan qui conquit le Japon, ou de Musashi, le samouraï sans maître avec ses deux sabres dont la légende a supplanté l'histoire vécue, en sont des exemples. Le mérite – donc les qualités et l'initiative individuelles –, condition de l'ascension sociale dans le néo-confucianisme de l'époque Edo, deviendra un des grands principes du système de valeurs de l'ère Meiji et un des moteurs de la modernisation.

Des historiens soulignent cependant le déclin de cet individualisme – ce terme entendu dans le sens le plus large : capacité à agir sans dépendre excessivement de la pression extérieure – dans la première moitié du XXᵉ siècle, sous le coup de la mobilisation nationale en vue de l'industrialisation, de l'idéologie de l'entreprise-famille supposée reproduire la famille élargie d'autrefois (*ie*), puis de l'expansion militaire dans un ultra-nationalisme qui présentait la nation soudée comme un seul homme derrière l'empereur (*ichioku isshin* : « cent millions d'un seul cœur »). Les mécanismes de contrôle social qui se mettent alors en place par un remodelage, une invention de la tradition furent dénoncés par des romanciers comme Natsume Soseki (1867-1916), auteur notamment de *Botchan*. Une grande figure du courant libéral, Ishibashi Tanzan (1884-1973), qui sera Premier ministre entre 1956 et 1957, critiqua pour sa part avec vigueur dans ses livres ce « groupisme » comme un produit de l'endoctrinement plus qu'une expression d'un esprit national.

Une dynamique de groupe qui survécut à la guerre – le sens du sacrifice, pacifié en quelque sorte, fut mué en une éthique du travail – et démontra certes son efficacité dans la mobilisation des énergies pour faire ce que l'on nomma Japan Inc. Elle se traduisit aussi par un dérapage. La « bulle spéculative » avec son cortège de scandales, puis l'immobilisme politique sont largement les effets pervers du conformisme social antérieur qui s'est traduit par un système d'irresponsabilité généralisée. Le « groupisme », c'est-à-dire l'agrégation des individus en collectivités de toute nature (famille, organisation), dont la sociologue Nakane Chie a fait la caractéristique de la société japonaise dans un livre qui a eu un retentissement considérable à l'étranger (*La Société japonaise*, A. Colin), a été abondamment utilisé par le Japon officiel à partir des années 1960 pour contester l'existence de classes au Japon. Cette idéologie trouvait un terrain favorable.

Le Japon n'a pas connu le mythe universaliste hérité des Lumières d'un moi abstrait, dont la vulgate contemporaine est le « *be yourself* » anglo-saxon : une subjectivité exacerbée, narcissique, obnubilée par des prérogatives et des pouvoirs, qui serait la fin des fins de la modernité.

Face à un Occident oublieux de la haine du moi de Pascal ou du calvaire de la conscience de soi chez Hegel, qui se berce de l'utopie de l'individu comme entité substantielle séparée de la société et principe de création de son propre monde, le Japonais perçoit l'individu comme le produit d'équilibres provisoires, un processus défini par la

Comme dans le reste de l'Asie du Nord-Est, l'école est un lieu de formation à la vie en groupe.

société et par son époque. Cet individu n'est pas le centre de l'univers, mais simplement partie d'un système qui le produit. L'idée d'un moi abstrait, centralité absolue face au monde, lui est étrangère : il n'est qu'un élément infime du Tout. L'individu japonais ne s'abstrait pas de son environnement. Tenir compte du contexte est le passage obligé vers un accomplissement personnel.

Alors que la société occidentale exalte une libération toujours plus grande d'un « moi » hérissé sur ses ergots, le Japonais tend à se situer d'abord par rapport à d'autres hommes, plus que par rapport à des idées. D'une manière générale, dans ses rapports sociaux, le Japonais cherche à s'adapter à la situation. « Si les rapports sociaux semblent si bien huilés au Japon, c'est [...] parce qu'à tout instant l'individu cherche à adapter son moi à la situation où il se trouve et non à l'affirmer en l'imposant aux autres » (Augustin Berque).

L'identité n'est pas un présupposé : elle se construit en s'adaptant au contexte. Le souci de rester en retrait par rapport aux frontières d'autrui, par une sorte de refrènement du moi, est une règle de comportement social, une élégance d'être, que partout ailleurs on nomme politesse ou bonne éducation. « Pourquoi en Occident la politesse est-elle consi-

UNMEI, LE DESTIN

Le destin se dit *unmei*, «mouvement du monde», c'est-à-dire le mouvement des causes naturelles et invisibles qui déterminent notre présence sur terre. Il est vain de vouloir s'y opposer. Chaque être humain a ainsi deux destins : l'un personnel, l'autre commun au reste des hommes. Et le vrai «bonheur» est un bonheur simple, celui des jours qui se suivent sans que l'harmonie en soit rompue. Les Japonais ont souvent des difficultés à comprendre pourquoi les Occidentaux dépensent autant d'énergie à se construire un bonheur compliqué.

dérée avec suspicion ? » s'interrogeait en 1970 Roland Barthes de retour d'un voyage au Japon. « Pourquoi, en Occident, la courtoisie passe-t-elle pour une distance (sinon pour une fuite ou une hypocrisie) ? Pourquoi un rapport "informel" (comme on dit avec gourmandise) est-il plus souhaitable qu'un rapport codé ? » (*L'Empire des signes*, Skira). Autant de questions d'actualité : l'hypertrophie de la personnalité conduisant le plus souvent à incommoder autrui. Si le Japonais apprécie en Occident de donner libre cours à sa personnalité, il est aussi, plus qu'à son tour, écorché – comme au demeurant peuvent l'être des Occidentaux. Cette politesse, qui est une des expressions du savoir vivre ensemble, se perd au Japon comme ailleurs – mais sans doute moins qu'ailleurs.

Du rituel au portable

Avec l'effondrement du système patriarcal dans la famille avec la Haute Croissance, caractérisée par une forte émigration vers les villes et l'apparition de la famille mononucléaire, va émerger une va-

DONS ET CONTRE-DONS

Le formalisme des civilités atteint au Japon un degré inconnu ailleurs. Et le cadeau en est une expression. Le cadeau compte moins par son contenu que sa forme et en particulier son emballage qui le définit comme un présent. Il peut être en espèces, et doit alors être placé dans une enveloppe spéciale, qui ne sera pas la même pour un mariage ou des funérailles. Ces dons sont scrupuleusement comptabilisés par celui qui les reçoit afin de faire un cadeau en retour. Dans une surenchère de dons et de contre-dons, le cadeau en entraînera un autre (ou un remboursement en liquide) selon des rituels qui varient en fonction des occasions. Héritage peut-être des offrandes aux divinités, le cadeau a pris dans la société moderne un caractère d'échange social quelque peu frénétique qui alimente des secteurs entiers de la production : cadeau d'entreprise ou cadeau à la suite d'un voyage (*omiyage*), etc.

Ci-dessus : Un cadeau dans du furoshiki, un tissu utilisé pour envelopper et transporter les objets et les cadeaux.

Page de droite : Des gens observent une exposition d'instruments traditionnels avant d'assister à une démonstration d'art du thé.

leur sociale distincte et nouvelle : le privé. Si elle ne s'est pas affirmée davantage au cours des décennies d'expansion, époque où tout le monde à son niveau voyait ses conditions de vie s'améliorer, c'est qu'il existait une concordance entre les intérêts économiques de l'individu et ceux de la communauté. La mondialisation et la récession ont été de ce point de vue un appel d'air qui a entraîné une évolution du rapport entre individu et communauté, sans pour autant sombrer dans une subjectivité exacerbée.

On retrouve, sous-jacente, cette conception de l'individu dans le quotidien : par exemple dans le service. Servir n'est pas déchoir. Le serveur ou la serveuse du plus minable établissement fera sa tâche sans que son « quant à soi » ne lui autorise une distance critique par rapport à ce qu'il fait. En respectant la façade d'un métier (c'est-à-dire en assumant le mieux possible une pratique), l'individu a le sentiment de remplir sa fonction sociale et il lui est dès lors inutile de chercher à affirmer son moi, sa « personnalité », en marquant une distance critique par rapport à ce qu'il fait. Une conception du travail valable pour toute profession, même les moins gratifiantes, qui constitue un lubrifiant dans les rapports sociaux quotidiens. Cherchant à se situer socialement par rapport à l'autre, l'individu japonais est amené à accorder une importance capitale au rituel et à la forme dans ses relations à autrui. C'est tout le jeu de la présentation, de l'étiquette, de la politesse : importance de l'emballage, des différents types d'enveloppes pour les dons en espèces selon qu'il s'agit d'un événement heureux ou malheureux, de la présentation dans l'art culinaire, des arcanes des formules de politesse (en fonction de la situation sociale, du sexe, etc.) ou de l'échange des cartes de visites.

Avec les courbettes et les formules de présentation, l'échange des cartes de visites est sans doute la pratique la plus prégnante du comportement des Japonais en société (en moyenne, 12 à 15 millions de cartes de visite s'échangent chaque jour au Japon).

Cette importance de la forme se retrouve également dans le souci du détail, dans une manie à insister sur des symboles, des rituels qui semblent insignifiants sinon purement conventionnels mais qui visent souvent à créer une atmosphère. Cette conception du rituel, permettant de créer un moment unique qui ne se renouvellera pas, est à la base de l'art du thé (ce que l'on appelle la cérémonie du thé) que résume le précepte zen : *ichigo ichie*, « un moment, une rencontre », en d'autres termes, l'éternité ramenée à un instant.

LA VOIE DU THÉ

La commercialisation n'a pas épargné la « voie du thé » (*chado*), baptisée « cérémonie du thé » à l'étranger. Les rituels qui s'attachent à sa préparation et à sa dégustation furent élevés à la perfection par Sen no Rikyu (1522-1591), et devinrent à l'époque Meiji une des expressions de « la » tradition japonaise. Autrefois réservé à l'élite et aux hommes, l'art du thé se démocratise et fait partie de l'enseignement des bonnes manières dispensé aux femmes. Les grandes écoles de thé sont devenues aujourd'hui de prospères industries culturelles. Si le « snobisme de masse » n'est pas absent de l'art du thé dans le Japon contemporain, il reste aussi, pour ceux qui le pratiquent, un grand moment d'harmonie.

Le « cyberspace » instaure des modes de socialisation directs. Sur les 127 millions d'habitants que compte le Japon plus de 65 millions disposaient en 2001 d'un téléphone mobile dont plus de la moitié pouvait avoir accès à la « toile » du Web et envoyer ou recevoir des messages (système i-mode). Le portable est le grand vecteur de la pénétration d'Internet au Japon. Parti en retard, l'archipel avait dès 2000 largement rattrapé les États-Unis. Avec le portable de la troisième génération (standard W-CDMA), lancé en septembre 2001, les utilisateurs peuvent participer à des vidéo-conférences en voyant sur l'écran leur interlocuteur, télécharger des photos ou vidéos. Le cyber-nomadisme est devenu le mode de communication des jeunes et en particulier des filles de 15 à 25 ans (80 % possèdent un portable). Les « ados » communiquent ainsi en toute autonomie des parents.

L'impolitesse, entendue dans le sens le plus large d'entorse au formalisme, est sans doute ressentie au Japon de manière encore plus rude qu'elle n'est en Occident. « L'étiquette commence avec la façon de replier un éventail et finit avec les rites du suicide », disait Okakura Tenshin (1862-1913), critique d'art de l'ère Meiji. Dans l'entreprise, on apprend comme un catéchisme aux salariés en contact avec la clientèle les longues formules de politesse à employer systématiquement avec les clients. Mais les temps changent et la « dictature de la forme » a été entamée par la modernité. L'étranger a tendance à voir dans le formalisme japonais un mystérieux code auquel il faut se conformer au risque de ne pas « pénétrer » la société. Les Japonais n'attendent pas d'un étranger, qui de toute façon reste un étranger, qu'il se comporte en Japonais. Surtout, entre Japonais eux-mêmes les rapports ont évolué avec les comportements des nouvelles générations. À la liberté d'allure des jeunes s'ajoute une liberté de ton qui transparaît dans le langage direct, sans fioritures de formules de politesse, avec lequel ils s'adressent par exemple à leurs enseignants.

Jouant du cyberspace pour communiquer, les jeunes subvertissent quotidiennement le mode classique de socialisation qui combine deux types d'intégration : vertical et inclusif par l'insertion de l'individu dans un système hiérarchisé, structurant les comportements en fonction des positions et identifications au milieu de référence (université, firme, groupe, etc.). Dans une société de réseaux comme le Japon, les technologies de la communication donnent une ampleur nouvelle, et encore jamais atteinte, aux « communautés sans proximité », transcendant âges et positions sociales, multipliant les appartenances à des « tribus » aux préoccupations communes et entamant le formalisme traditionnel des échanges. Elles favorisent aussi chez certains des phénomènes de repli : comme ces jeunes « accros » de jeux vidéo qui ne communiquent plus

qu'avec leur machine et que l'on a nommés *otaku*, les « emmurés ».

Les nouvelles formes d'individualisme qui apparaissent dans le Japon du début du nouveau millénaire sont le reflet d'une évolution des rapports socio-économiques. Elles ne signifient pas que les Japonais convergent vers le modèle d'affirmation de soi de type occidental. Bien que la « pop » nippone se fasse l'écho d'une volonté des jeunes de donner libre cours à ses sentiments, l'individualisme dont font preuve la plupart des jeunes Japonais consiste moins à exprimer haut et fort son « moi », son désir personnel ou ses revendications, qu'à accroître la part d'autonomie de chacun dans le social. Le Japonais a toujours su se ménager des espaces de repli : on pourra voir dans les dormeurs assis dans les trains des êtres épuisés, harassés de travail. On peut aussi y voir des hommes et des femmes qui savent s'abstraire du contexte pour s'offrir un moment seuls avec eux-mêmes. Le walkman, invention japonaise, est aussi un moyen de s'isoler dans l'espace public, qui peut d'ailleurs se combiner à la somnolence dans les transports. Des modalités de la *Japanese way of life…*

Salle de jeux vidéo dans une exposition à Osaka.

« L'esprit de plaisir »

──────

Le goût de la fête

L'appétit joyeux

La nuit libératrice

Descendants des *Edokko*

La fréquentation des corps

Plaisirs de masse

Du pachinko au manga…

… en passant par le foot

Ci-dessous : Des participants
à une reconstitution
historique à Kyoto.

Page 124 : Une image de la
Hoshi matsuri (fête des
étoiles), la grande fête des
rites du feu basée sur la
tradition du bouddhisme
ésotérique. Hoshi matsuri a
lieu tous les ans en février sur
la colline Yamashina dans les
environs de Kyoto.

Les Japonais n'ont pas la réputation d'être des bons vivants. L'étranger se les représente sérieux, compassés et arc-boutés sur leur travail, tristounets et méticuleux ou s'« éclatant » dans des beuveries entre hommes. Au-delà d'un conformisme et d'un formalisme réels, il existe pourtant aussi chez ce peuple une disposition enracinée à s'amuser : un « esprit de plaisir » (*asobi no seishin*), un goût du présent et des plaisirs de l'instant que la modernité n'a pas entamé.

La notion d'*asobi*, qui signifie amusement, délassement, jouissance, plaisir, disponibilité et s'oppose à celle de sérieux, grave, solennel s'inscrit dans la distinction établie par les ethnologues japonais entre *ke*, le quotidien et *hare*, le « non quotidien » (par exemple la fête). Au cours de l'époque Edo et jusqu'à Meiji, l'*asobi* a pu être élevé à une esthétique qui contribuait à faire du plaisir une jouissance modulée, dans le cas par exemple du « jeu » entre une geisha et son partenaire. Cette grande esthétique du plaisir, sorte de « dandysme » à la nippone (Jacqueline Pigeot), fut l'une des victimes de la modernisation, remplacée par les distractions banales de la société de consommation de masse. Mais il est néanmoins resté chez les Japonais une indéfectible propension au plaisir : ceux

Autel transporté pendant
une procession à Ise.

de la chair, du rire, de l'alcool ou du corps. Les Japonais prennent le plaisir au sérieux et ne le confondent pas forcément avec le loisir : alors que le second renvoie au temps libre, le premier peut être inopiné, éphémère, subtil.

Le goût de la fête

Les Japonais savent habilement ouvrir et fermer des parenthèses. Les *matsuri*, les fêtes, dont le Japon est si riche (fête du feu, fête des sorcières, fête des corps nus dans les neiges du Tohoku, fête des fous, fête du rire, fête de la fertilité…) en témoignent. C'est évidemment à la campagne que l'on trouve les fêtes qui ont conservé le caractère « carnavalesque » le plus authentique. Mais même la fête d'un quartier dans les grandes villes reste un moment important de la vie sociale qui régénère le lien communautaire.

La fête était à l'origine une occasion de vénération relevant soit du culte shinto, soit du bouddhisme. Avec ses danseurs et ses bateleurs, elle est surtout marquée par le défilé du *mikoshi* (autel placé sur une châsse) porté à dos d'homme – mais désormais de plus en plus de femmes se disputent l'honneur de le faire sauter sur leurs épaules. La fête se répand à travers le quartier ou le village avec l'autel oscillant sur l'onde humaine. Aux

Enfant pendant une fête.

cris de « *washoi ! washoi ! »*
(« ho hisse ! ») scandés de
coups de sifflets, avec en ar-
rière-fond, le son plaintif des
flûtes traversières venu du
sanctuaire, le *mikoshi* pro-
gresse, tressautant sur les
épaules de porteurs corps
contre corps vêtus d'un *happi*
(veste) découvrant des torses
en nage et d'un simple *fundoshi* (sorte de cache-sexe traditionnel). Les femmes, en
short, portent des T-shirts sous
leur veste. Puis, l'autel re-
tourné dans son temple ou son
sanctuaire en début de soirée, la fête continuera.
Dans les effluves et les fumées des guinguettes en
plein air, on fera ripaille sous les lampions, en-
ivrés de bière et de la houle de la foule. Friandises
en sucre, nouilles sautées, sèches grillées, vendeurs de porte-bonheur : les étals se succèdent le
long de la rue du temple. Les forains sont les grands
artificiers de ces moments de liesse populaire, de
visages réjouis et d'haleines de saké que sont les
matsuri.

La fête, c'est aussi évidemment au printemps
lorsque les cerisiers fleurissent. Alors, à la nuit
tombée, dans le moindre parc, des foules s'assem-
blent sur des nattes ou de simples plastiques pour
festoyer avec force bière, saké ou désormais vin,
pour célébrer l'arrivée du printemps. On se retrouve à la tombée du jour entre amis ou entre collègues (certains auront parfois passé la nuit précédente à l'endroit choisi pour le réserver) et la
fête durera jusqu'à une heure avancée de la nuit,
sous le velouté des fleurs blanches. Fête bon enfant, elle prend des allures de kermesse dans les
grands parcs célèbres pour leurs cerisiers, comme
celui de Ueno à Tokyo.

Un autre grand lieu de célébration des fleurs de
cerisiers est le mont Yoshino dans la région de

Nara. Là, on peut admirer « mille cerisiers en un seul regard ». La vue de la terrasse du sanctuaire Yoshimizu est en effet saisissante : sur les pentes des monts environnants, dont les formes s'estompent dans la brume du printemps en un ondoiement sans fin, des cerisiers en pleine floraison blanche et rose, se détachant sur le vert des conifères, s'étendent à perte de vue pour se fondre dans le bleuté de l'horizon fermé par des montagnes. Il y en a des milliers offrant dans leur épanouissement un spectacle somptueux. Chaque année, par centaines de milliers, des touristes se rendent à cette « Mecque des cerisiers ». Trains bondés, hôtels réservés d'une année sur l'autre, bus montant et descendant les routes de montagne, armée de photographes amateurs frénétiques : l'enchantement de la floraison se mérite. Le grand moment, celui où fusent de toutes parts les exclamations « *kirei, kirei !* » (« Comme c'est joli ! »), arrive avec un coup de brise qui provoque une neige de pétales : le « blizzard des fleurs ».

Dotombori, à Osaka, le soir, quartier nocturne où la foule déambule dans des petites rues aux innombrables bars et restaurants.

L'appétit joyeux

Le sens de la fête des Japonais, on le ressent aussi le soir dans les quartiers animés. La soirée commence tôt : à la sortie des bureaux, vers 18 heures. Comme le New-Yorkais, le Japonais a le goût de

Les Japonais affectionnent les bistrots où l'on fait bombance pour pas trop cher et où les mets sont largement arrosés de saké, de *shochu* (alcool de patate douce ou de céréales) ou de bière.

C'est le cas des estaminets *nomiya* où l'on boit beaucoup en mangeant peu ou les *akachochin*, « les lanternes rouges », c'est-à-dire des bistrots bon marché où l'on sert de petits plats allant de lamelles de poisson cru à de petites marmites de légumes avec coquillages, poisson ou poulet qui mijotent sur un réchaud devant les clients.

la ville. La nuit, par ses myriades d'enseignes qui l'aimantent et ses foules-fleuves, la ville japonaise dégage une énergie vitale communicative. Ce serait une erreur, nous l'avons dit, de faire des Japonais des adeptes éthérés du zen : ils apprécient la bonne chère et ont l'appétit joyeux : la gourmandise est d'ailleurs un plaisir reconnu (*kuidoraku*). La pléthore de guides, de magazines ou d'émissions de télévision sur les restaurants est significative de l'importance que les Japonais attachent à l'art culinaire au point de risquer leur vie en mangeant un mets de choix : le *fugu* (poisson-globe) qui contient de la tétrodotoxine, une substance mortelle...

Le choix des restaurants est infini. Tokyo est du point de vue culinaire une ville des plus cosmopolites de la planète et une des capitales de la gastronomie par la variété et la qualité des cuisines que l'on y sert. On les trouve toutes et elles sont souvent excellentes : chinoise, coréenne, française, italienne, indienne, thaïlandaise, vietnamienne, africaine... et, bien entendu, les déclinaisons locales de la gastronomie nippone. Les Japonais sont curieux. En cuisine aussi. Celle de l'Occident, introduite au XIXe siècle, était si déroutante pour les palais nippons qu'apparurent des reproductions de plats en cire que l'on exposait dans la vitrine des restaurants. Aujourd'hui ce ne sont plus les restaurants occidentaux qui ont en devanture des menus visuels (en plastique désormais) mais leurs homologues japonais. Avec le jeu des enseignes et des tissus colorés fendus en deux qui séparent jusqu'à mi-hauteur la porte du bistrot de la rue et s'agitent dans le vent, ces menus visuels font partie d'une « gastronomie de l'œil » qui eût ravi Balzac.

LE *BENTO*

De forme carrée ou rectangulaire, le plus souvent en plastique mais parfois en bois léger, le *bento*, souvent accompagné de serviettes nettoyantes, est la forme la plus répandue du « casse-croûte » nippon. Ce n'est pas un succédané du fast food car les *bento* existaient bien avant la modernisation (ceux vendus dans les gares apparaissent en 1885). Le *bento* est conçu moins comme un en-cas que comme un vrai repas portable. Les boîtes, de moins de vingt centimètres de côté, fermées par un couvercle, comportent plusieurs compartiments dans lesquels sont disposés séparément une grande variété d'ingrédients : légumes, algues, poissons, viande et riz blanc.

Si l'on décide de dîner japonais, il faut choisir d'emblée quel type de repas : les bons restaurants sont le plus souvent spécialisés dans un mets (poisson cru, brochettes de poulet grillé sur du charbon de bois, anguilles etc.). Le poisson cru est évidemment prisé et les *sushiya* (restaurants de poissons crus) sont innombrables. Chaque soir, se forment devant ceux du marché au poisson de Tsukiji d'interminables queues. Il en existe aussi d'un extrême raffinement, où l'on est servi sur d'admirables comptoirs de cyprès aussi blanc que tendre au toucher. Étant donnée la spécialisation des restaurants, le repas peut aussi se transformer en cheminement gustatif : en changeant de lieu, on va goûter d'autres saveurs, une autre atmosphère.

Dans les établissements aux mets diversifiés, ceux-ci arrivent souvent ensemble dans de petits plats, ce qui permet d'alterner goût et consistance comme le veut l'art culinaire nippon, qui privilégie saveurs et textures distinctes. Les Japonais aiment à dire qu'ils ont la nourriture la plus variée du monde, – par les ingrédients utilisés, le végétal sous forme de plantes ou de légumes sauvages, ce n'est pas impossible. Les plats de saison sont un rituel de la cuisine nippone (au point que les champignons peuvent atteindre des prix faramineux) et ceux au « goût du pays » (*furusato no aji*), un de ses grands plaisirs.

Le déjeuner est généralement frugal : menu fixe dans les restaurants ou le *bento*, le traditionnel

Ci-dessus : Bento en exposition dans la vitrine d'un magasin.

Page de gauche : Le marché aux poissons de Tsukiji à Tokyo où sont débitées chaque jour des tonnes de produits de la mer.

LA GASTRONOMIE : UN ENGOUEMENT NIPPON

Les Japonais ne réduisent pas la cuisine à sa présentation. S'il est un thème que la télévision japonaise traite avec révérence, c'est la bonne chère. C'est l'un des sujets les plus présents sur le petit écran : aux heures de plus fort taux d'écoute, on est certain de tomber sur une émission consacrée à des restaurants ou à des recettes. La télévision témoigne du goût des Japonais pour une nouvelle « voie » : celle de *kuidoraku* (la gourmandise) qui conjugue sociabilité et plaisir des sens. Le goût des Japonais pour la bonne chère est évident aussi dans les librairies. Des présentoirs entiers sont consacrés aux livres et aux magazines traitant de cuisine. Innombrables, souvent luxueux, ils sont parfois inattendus, tel le mensuel *Dancyu* destiné aux hommes gourmets.

La bande dessinée a depuis des années investi ce marché en présentant recettes et histoires des aliments.

casse-croûte. En voyage, à l'école, au travail, au spectacle : partout les Japonais ont leur boîte de repas *bento*. On en trouve dans les gares, dans les trains sur des chariots poussés par des vendeurs, dans les rayons d'alimentation des grands magasins ou des supérettes et même à l'heure du repas de midi aux étals de vendeurs ambulants dans la rue. Certains salariés apportent au bureau la boîte-repas confectionnée à la maison et des revues spécialisées donnent des idées pour les composer. À la belle saison, ils s'installent dans un parc pour le déguster. Les *bento* des gares (*éki-ben*) jouent des spécialités régionales et l'on ne compte pas moins de 3 000 variétés de repas.

Le dîner – et l'après-dîner – est en revanche la grande affaire. Pour peu que l'on dédaigne les lieux « chics » de la bonne chère (restaurants français de luxe avec leur atmosphère de cathédrale : le cérémonial gastronomique français s'ajoutant au formalisme nippon), ou le raffinement compassé de la *kaiseki*, la grande cuisine traditionnelle, on découvre loin du Japon riche, policé, minaudant et mièvre, le monde bruyant, désordonné et bon enfant des estaminets, des guinguettes et des bouis-bouis microscopiques.

Les Japonais aiment faire ripaille mais ils sont aussi friands de mets simples : *soba* (nouilles au sarrasin), une recette séculaire, ou *tofu* (pâté de soja) accommodé de manières variées, ou encore *ramen* (bol de nouilles à la chinoise). Certains amateurs traversent parfois la ville pour aller dans tels bistrots, des plus populaires, mais réputés.

La nuit libératrice

L'exiguïté de ces bistrots, le patron ou la patronne qui fait son frichti derrière le comptoir devant lequel se pressent les clients assis sur de mauvais tabourets, tout cela favorise la convivialité. On chahute, on charrie la *mama-san* (patronne) et l'on boit ensemble sans vraiment se connaître, avec cette complicité de l'instant qui vaut toutes les présentations. Le formalisme des rapports sociaux de la journée a cessé et s'éveillent les émotions. La nuit a desserré l'étreinte de la nécessité du jour et l'on savoure le moment présent. Les convives s'enivrent de saké, de bière et de whisky à l'eau, mais surtout de bonnes histoires : celles du boulot, du quartier et de ses faits divers.

Le bar ou le cabaret est l'ultime étape de la soirée. Il y a bien sûr les bars à hôtesses de haute volée, qui fonctionnent généralement sur note de frais, les cabarets un peu glauques aux « filles de vie » peu farouches. Mais il y a aussi, dans tout quartier animé, des myriades de petits bars, repaires d'habitués. Souvent minuscules (un comptoir, cinq ou six tabourets), ce sont des ancrages de la nuit. Les bars occupent des blocs entiers dans les quartiers nocturnes à raison de trois ou quatre par étage, ou sont serrés les uns contre les autres dans les venelles. Fréquentés certes par les hommes, ils le sont de plus en plus par les femmes, accompagnées ou entre elles. La nuit des villes n'appartient pas qu'aux hommes : les jeunes Japonaises ne sont pas des Pénélope mais parties prenantes de la nuit.

Pousser la porte d'un petit bar, c'est pénétrer dans un univers où l'habitué est certain d'avoir sa place et a l'impression

L'ALCOOL

Le taux d'alcoolisme dans la population n'est pas plus élevé qu'ailleurs. L'ivresse est un rituel social : elle ouvre une parenthèse dans les contraintes, permet de dire, de faire des choses que le lendemain, hommes ou femmes, auront (ou feindront d'avoir) oublié.

Ci-dessous : Restaurant populaire à Osaka.

Page de gauche : Un magasin de friandises dans un temple à Nikko.

UN CINÉMA AUTREFOIS
FLAMBOYANT

UN CINÉMA AUTREFOIS
FLAMBOYANT

La grande époque du cinéma japonais (celui d'Ozu, Mizoguchi, Kurosawa), c'était il y a quarante ans. Depuis, il est convenu de dire que le cinéma nippon est « en crise ». Il est assurément moins créatif. Mais au cours des années 1990, de nouveaux talents – Aoyama Shinji, Iwai Shunji, Kurosawa Kiyoshi – se sont démarqués des générations précédentes en s'attachant aux diversités sociales. Des films qui n'ont pas le succès à l'étranger de ceux de Kitano Takeshi, aune à laquelle la critique juge le renouveau du cinéma japonais, oubliant qu'un film comme *Aniki, mon frère*, primé à Cannes, a été essentiellement conçu pour un public étranger. Au Japon, Kitano est plus célèbre comme histrion à la télévision que pour ses films. Les animations de Miyazaki Hayao (*Princesse Mononoke*, 1999, *Le Voyage de Chihiro*, 2001, ou *Le Château ambulant*, 2004) ont un autre retentissement auprès du public nippon. Mais la fréquentation des salles ne s'améliore guère : 162 millions de spectateurs en 2003.

d'avoir été attendu. Souvent, il y a sa bouteille. Il y retrouve des compagnons d'un soir. C'est le point d'arrivée ou de départ d'une déambulation nocturne. Sous couvert de l'ivresse, chacun se livre dans ses joies et ses déconvenues, les sentiment se dégagent de leur gangue de contraintes. On refait le monde, on change la vie.

La nuit japonaise est tolérante : le pochard est ignoré plus que gourmandé. Ses amis le soutiennent en riant, les policiers essayent de le raisonner et de le mettre dans un taxi ou un train, auquel cas il risque fort de s'affaler de tout son long sur une banquette et d'arriver au terminus sans s'en être aperçu.

Descendants des *Edokko*

Il se dégage de la nuit japonaise une vraie gaieté. On y ressent un appétit pour les plaisirs de ce monde. On disait de l'« enfant d'Edo » (*Edokko*), l'habitant de souche de la capitale shogunale, figure fictive d'un état d'esprit (un peu comme le Parigot était l'incarnation de l'âme de Paris), qu'il était aussi attaché à l'argent que prêt à le dépenser. Irrévérencieux et volontiers frondeur, inventant mille détours pour esquiver les normes, audacieux et désinvolte, l'*Edokko* incarnait l'esprit de la ville basse. Il avait le goût de la fête, de la transgression du quotidien, dont l'un des hauts lieux, avec les quartiers de plaisir, furent les *sakariba* : « lieux animés » où s'assemblaient les foules et les spectacles forains. La figure de l'*Edokko* façonnée par le kabuki est quelque peu mythique mais est aussi révélatrice d'un pan de la mentalité populaire que la modernité n'a pas anéantie.

Un succédané moderne de l'*Edokko* était la figure de Tora-san (Monsieur Tigre), le personnage le plus célèbre du cinéma japonais jusqu'à la mort, en août 1996, de l'acteur Atsumi Kiyoshi qui incarna cet enfant de la ville basse, ni beau ni riche, sinon en débrouillardise et en coups de cœur. Une mort qui fut ressentie par beaucoup de Japonais comme la perte d'un ami, d'une figure familière de leur vie qui pendant vingt-sept ans fut présent aux rendez-vous que constituaient les sorties des films du cinéaste Yamada Yoji. Quarante-huit films, la plus longue série de l'histoire du cinéma (« C'est dur d'être un homme ! ») a résisté à tout. Au temps et aux modes : 60 millions de Japonais (soit un sur deux) ont vu au moins une fois un Tora-san.

Si Tora-san les ravissait, c'est qu'ils retrouvaient en lui ce que la croissance spectaculaire de leur pays leur avait soustrait : une chaleur humaine, un rire bon enfant et une gentillesse faite de disponibilité et de générosité – une qualité qu'ils

TORA-SAN

Avec son galure, sa grosse ceinture de laine qui chauffe les reins, ses sandales traditionnelles et sa veste à carreaux, Tora-san était un héros des faubourgs. Camelot de son métier, bonhomme sentimental au caractère entier que ses tribulations emmènent aux quatre coins de l'archipel, il savait travailler dur mais aussi paresser, louvoyer avec les embûches de la vie avec pour seul bagage quelques valeurs simples.
Il était l'expression pour les Japonais d'une « petite liberté, ni politique ni sentencieuse » : celle qui se conquiert pied à pied dans le quotidien.

Ci-dessous : Affiches de cinéma à Shibuya (Tokyo).

Page de gauche : Manifeste d'un spectacle de kabuki sur la façade d'un théâtre à Osaka.

apprécient entre toutes. Mieux que tout autre, Tora-san a reflété la mentalité, les modes de vie et les valeurs du petit peuple des années 1960-1990. « Vos films renferment nos souvenirs. Au revoir, Atsumi-san et un grand merci », écrivit *Asahi Shimbun* dans son hommage. Tora-san était l'expression d'une conception de la vie dans laquelle le rire et la dérision sans méchanceté sont les moyens d'en esquiver les pièges.

Le rire est aussi une disposition des Japonais. Leur télévision est sans doute l'une de celles où les émissions destinées à faire rire – certes souvent de qualité médiocre – sont les plus nombreuses. Elles reflètent sur le registre de la culture de masse ce rire populaire, irrévérencieux par sa morgue, que véhiculaient autrefois les tercets satiriques et aujourd'hui encore les récits des conteurs populaires (*rakugo* et *manzai*) et épinglent sans complaisance les travers sociaux. Ceux-ci se produisent désormais à la radio et à la télévision avec un succès qui ne tarit guère.

La fréquentation des corps

Le rire, la détente, la gaieté et l'ivresse bon enfant se retrouvent dans les *onsen*, les sources thermales, grands lieux de plaisir des Japonais. « Dès que j'entends le mot source thermale, j'éprouve toujours une certaine gaieté », écrivait le romancier Natsume Soseki. « Aller aux eaux » a pour un Occidental un avant-goût médicamenteux. Rien de tel au Japon : les stations thermales ont certes des vertus curatives mais les Japonais, quelle que soit leur condition sociale, y vont autant pour le plaisir que pour la cure. C'est la grande destination de petites vacances en famille ou en groupe. C'est sans doute l'un des lieux où l'étranger mesure le mieux qu'une tradition, c'est autant

Karaoke dans un restaurant.

des arts figés dans leur sublime perfection qu'un rapport à la vie, au corps.

Le bain dans une source d'eau chaude en plein air ou à l'intérieur d'une auberge, mais ouvrant le plus souvent sur la nature, est une pratique qui remonte à la nuit des temps et ne doit rien à l'influence étrangère. Pays volcanique, le Japon compte plus de 4 000 sources chaudes dont plus de la moitié ont été transformées en stations thermales.

On dit qu'à l'origine ces sources étaient des lieux sacrés du culte shinto, dispensant l'« eau chaude des dieux ».

La vieille génération affectionne toujours les *onsen* pour leur action thérapeutique : s'y rendre fait partie pour les campagnards des rites séculaires liés aux saisons et destinés à renforcer le corps. Mais la majorité les fréquente pour se délasser et s'amuser : on s'y retrouve en famille, en voyage d'entreprise, entre amis ou anciens camarades de classe pour mariner ensemble dans l'eau, jouir de la présence des autres et partager des rires. Point de régime ou d'eau minérale dans les *onsen* : au contraire, on y fait bombance et on y boit abondamment bière ou saké.

D'un hédonisme bon enfant, ce sont des lieux chaleureux où se concilie ce qui est apparemment irréconciliable : intimité et convivialité. Il s'y forge

Des thermes dans les Alpes japonaises. La pratique de purifier le corps par l'eau se développa vers le Xe siècle et offrir un bain devint un acte charitable : aussi beaucoup de monastères furent-ils dotés de bains pour les miséreux. Avec les grands pèlerinages à partir du XVIIe siècle, il en fut de même dans les auberges, quand celles-ci s'installaient sur les sources.

LES *ENKA*

Chansons aux mélodies lancinantes et plaintives, qui paraissent très «ringardes», les *enka* ont résisté à toutes les modes peut-être parce qu'elles expriment une sensibilité populaire profonde jouant sur un registre limité d'émotion et un sentimentalisme larmoyant: l'arrachement du départ ou de la séparation, le village natal, la chaleur de l'amour perdu, l'amitié, la loyauté. Les *enka* sont un peu le «blues» japonais: elles expriment la douleur de vivre et appellent à boire pour oublier.

Ci-dessous: Pêche à la ligne à Tokyo.

Page de droite: Minigolf à Gifu.

cette affinité particulière qui sourd de ce que les Japonais nomment *hadaka no tsukiai*, la «fréquentation des corps». Certains *onsen* n'ont pas renoncé à la mixité qui prévalait avant Meiji. Le lieu n'a rien d'érotique et aucun coup d'œil loustic ne gênera la jeune femme ou la respectable matrone dans leurs ablutions. La multitude des guides et des émissions télévisées consacrés aux sources thermales atteste une popularité qui alimente une activité touristique florissante.

Partout, dans les lieux de détente japonais, un bar ou une source thermale, la musique et la chanson sont les adjuvants aux libations. C'est une forme de participation. On chante à l'unisson à l'école, dans les entreprises et… pour se distraire. Chanter en commun est une forme de convivialité. Dans les années 1950, il existait des «cafés à chansons» où l'on venait pour chanter ensemble. La technique aidant, apparut au milieu des années 1970 le karaoke (formé à partir de *kara*, vide et de *oke*, abréviation japonaise de *orchestra*) avec le succès que l'on sait. Les bars, les cabarets ou les auberges ont leur karaoke et il ne vient à l'esprit de personne que le chanteur puisse importuner les autres. Au contraire, on l'encourage et on l'applaudit. Un peu comme le bain en commun, c'est une intimité partagée, un anti-stress collectif. Depuis les années 1990 sont apparus les karaoke box où on loue, à quelques amis ou à deux, des pièces individuelles pour pousser la chansonnette.

Bien qu'en légère régression, le karaoke attirait près d'un Japonais sur deux à la fin des années 1990. C'était leur seconde distraction après le repas à l'extérieur et avant les bars. Un genre de chansons sentimentales est particulièrement apprécié: les *enka*. Prisées au karaoke, les *enka* le sont aussi à la télévision et ses interprètes comptaient parmi les plus grandes célébrités de la chanson jusqu'au début de ce siècle. La grande dame des *enka* fut Misora Hibari (décédée en 1989), qui a conquis le cœur des Japonais et restait célébrée au début des années 2000 par des millions de fans.

Plaisirs de masse

Le voyage à l'étranger (13,5 millions en 1999) mais aussi et peut-être surtout à l'intérieur de l'archipel est l'un des grands divertissements des Japonais : ils manifestent une sorte de gloutonnerie touristique pour les sites nationaux célèbres.

Le tourisme de masse a connu un grand essor à partir des années 1970. Il s'accentua avec l'enrichissement de la période de « bulle spéculative ». Bien que de plus en plus de jeunes préfèrent voyager entre copains ou en couple, le voyage de groupe demeure populaire avec ce que cela comporte de conformisme, voire de « panurgisme » (groupe compact avec leur guide agitant un petit drapeau de reconnaissance). L'attraction qu'exerce sur les foules de tout âge et de toute condition sociale un certain nombre de sites reconnus célèbres est à la dimension de tout phénomène de mode au Japon : excessif.

COMMENT PRENDRE
(OU PAS) SES CONGÉS

Les congés payés annuels sont d'une dizaine de jours et en moyenne, en 1999, les Japonais n'en ont pris que la moitié. Bien qu'ils ne prennent pas de longues vacances d'affilée, les Japonais n'en ont pas moins des jours de congés. Si l'on compte le nombre des jours fériés, (une quinzaine par an), les « ponts » (le lundi est toujours chômé si le jour férié tombe un dimanche) et la dizaine de jours chômés de la fin de l'année, les Japonais disposent cependant d'un nombre de jours de vacances qui se rapproche des quatre semaines.

IL Y A PENSION
ET *PENSHON*

Lorsqu'ils voyagent à l'intérieur du pays, les Japonais descendent dans des auberges traditionnelles (*ryokan*) ou dans des hôtels de type occidental, mais aussi dans ces innombrables « pensions de famille » bon marché appelées *minshuku*, qui offrent à prix fixe une demi-pension. Cet hébergement chez l'habitant est désormais concurrencé par une autre forme d'accueil dénommée *penshon* (pension) qui offre le même service mais dans un cadre plus moderne par son architecture et sa décoration.

Page de droite:
Photographes amateurs lors
de la préparation d'une fête.

Chaque année, aux changements de saison (rougissement des érables en automne ; cerisiers au printemps) ainsi qu'aux trois grandes périodes de repos (Nouvel An, *Golden Week* au début du mois de mai et enfin O-bon, la fête bouddhique des morts à la mi-août) le rituel se répète.

Que vient-on voir dans un jardin zen embouteillé, un temple visité à la queue leu-leu ? Que peut-on ressentir face au fameux Pont céleste où, selon les mythes, s'abattirent les dieux au commencement des temps, pris dans la foule et sous le feu des haut-parleurs ? Il est en revanche une chose que l'on ne doit pas manquer : la boutique de souvenirs. De même que le petit cadeau témoignera du passage, comme au demeurant le tampon du site que certains aiment apposer sur leur carnet de route, la photographie consacrera la randonnée.

Le site japonais est un lieu qui laisse perplexe. Il est à la fois célèbre et célébré mais il est aussi souvent placé dans un environnement saccagé par les activités mercantiles. Les Japonais semblent pratiquer une vision sélective, excluant ce qui n'est pas le site lui-même : temple, jardins, cascades, paysages aperçus sous un certains angle. Leur discipline semble en outre prise en défaut et ne limite guère les agressions que les cohortes de touristes font subir à l'environnement. Même le vénéré mont Fuji n'échappe pas au raz de marée des détritus.

Comme ailleurs, le site japonais est un lieu de mémoire par sa valeur historique ou esthétique. Mais il est aussi remarquable par les souvenirs littéraires qui s'y attachent et parce qu'il fut célébré par une grande figure : au pied de la lettre, le site est d'abord un « lieu-dit » par le poète ou le grand voyageur. Chaque itinéraire de l'archipel est déjà inscrit depuis des siècles dans un maillage d'associations, de références culturelles et historiques qui transforme son parcours en une sorte de déambulation de reconnaissance plus que de découverte par une communion avec les émotions ressenties par de grandes figures du passé (par exemple les lieux visités par le poète Basho).

Le rapport au site qu'entretiennent les Japonais est largement le fruit de leur conception du voyage. Grand sujet littéraire depuis la période ancienne, le récit de voyage contribua à replacer les sites célèbres dans une sorte de géographie fictive en en faisant un élément de la sensibilité collective. Dans la société longuement sédentaire du Japon ancien, le voyage fut d'abord perçu avec méfiance. Les seuls à franchir les limites du village étaient les bonzes itinérants ou les saltimbanques, personnages à la lisière du monde sacré. La voyage se chargea de valeurs positives avec le bouddhisme, lorsque se développèrent à partir de la fin du Moyen Âge les pèlerinages, favorisés par l'amélioration de la sécurité et des voies de communication. Ils entraînaient, nous l'avons vu, des foules dans de vastes mouvements populaires, où se mêlaient aspirations pieuses et désir de se distraire, vers des lieux sacrés tels que les sanctuaires d'Ise bien sûr mais aussi ceux de Kumano dans la presqu'île de Kii, l'une des régions les plus authentiques d'un Japon enfui : terre des anciens mythes et des coutumes anciennes décrites dans *Mille Ans de plaisir* ou *La Mer aux arbres morts* (Fayard) par le romancier sans doute le plus extraordinaire de

PHOTOPHAGES…

L'utilisation compulsive de l'appareil photographique s'inscrit dans la conception du voyage-reconnaissance des « lieux célèbres ». Le touriste s'ingénie à accumuler les souvenirs, les traces, les images de son passage. Il « focalise » sur certains points normés comme « Beau » et y fixe sa propre image. La photo-souvenir est au Japon, comme ailleurs, un rituel indispensable du voyage, mais elle est aussi dans son cas un succédané de deux pratiques traditionnelles : marquer son passage (par exemple par le tampon du lieu sur un carnet de route) et témoigner : la photo se substitue ou s'ajoute au tercet (*haïku*) qui fixait une impression individuelle.

LES FOUILLES : UNE PASSION

Avec l'un des budgets les plus importants du monde et des moyens technologiques considérables, un nombre étonnant de champs de fouilles (près de 10 000 sites) et donc de « découvertes », l'archéologie japonaise a, en quelques années, bouleversé les connaissances sur la préhistoire et de l'histoire de l'archipel. Conséquence de la loi japonaise qui oblige les aménageurs du territoire et les promoteurs à consacrer une partie de leurs investissements aux fouilles de sauvetage, ces succès sont relayés par les médias. Les archéologues ont su attirer le public et faire revivre un passé enfoui : des centaines de milliers de touristes viennent en famille visiter les champs de fouilles transformés en musées avenants et même ludiques, comprenant animations vidéos pédagogiques, jeux divers pour les enfants, ateliers de poterie à l'ancienne, de cuisine préhistorique, etc.

Page de droite : Manga.

la dernière partie du XXe siècle, Nakagami Kenji (décédé en 1996). C'est aussi au cours de l'époque Edo que se développa toute une littérature descriptive donnant des informations sur les régions et les sites qui préfigure les guides d'aujourd'hui. Le pèlerinage, expression à l'origine d'une dévotion, prit alors une dimension plus séculière et devint un prétexte à rompre avec le quotidien et à assouvir une curiosité touristique. Il constitue le moule où s'est coulée la conception moderne du voyage touristique de groupe et les guides contemporains reproduisent à peu de chose près le contenu des anciens.

Du pachinko au manga...

Les modes, l'évolution des mœurs, la récession : rien n'y fait. Le pachinko reste une grande distraction des Japonais. En 2000, le Japon comptait 15 000 salles équipées de 4,7 millions de machines, employant 320 000 personnes et dont le chiffre d'affaires s'élevait à 28 000 milliards de yens (un peu plus de 237 milliards d'euros), trois fois le montant des dégâts du séisme de Kobe... Le moindre village a son pachinko. En 2000, un Japonais sur huit y jouait régulièrement et y dépensait en moyenne 86 000 yens. En 1987, si absorbés par le jeu, des parents en ont oublié leur enfant dans une voiture où il est mort asphyxié. Depuis, certains pachinko se sont dotés de garderies... Dominé par les Coréens du Japon (du Nord comme du Sud), le pachinko est la première industrie des loisirs de l'archipel.

Cette étrange machine, version japonaise du *Corinth game* né à Detroit en 1910 et apparu à Osaka dix ans plus tard, connut son âge d'or au lendemain de la guerre. Bénéficiant d'incessantes innovations technologiques, le pachinko a conservé son « esprit » originel. On achète des billes argentées, on choisit sa machine et on s'installe sur un tabouret enveloppant les reins pour s'adonner à un travail de Sisyphe consistant à charger ces billes dans une gouttière puis à les propulser d'un léger mouvement du poignet sur un billard vertical le long duquel elles redescendent, bondissant entre des clous. Si l'on gagne, la machine vomit une pluie de nouvelles billes. Que vont donc chercher dans ce jeu solitaire les 18 millions de Japonais et de Japonaises (40 % de la clientèle) qui s'y adonnent, au milieu d'un vacarme épouvantable dans lequel se mêlent musiques martiales et fracas des billes entrechoquées ? Bien qu'il existe des professionnels qui vivent de la revente des produits gagnés (cigarettes, denrées alimentaires, jouets, cosmétiques, etc.), le gain semble secondaire. Alors quoi ? Sans doute une vacuité ludique, laissant le corps libre et l'esprit vacant. Une catharsis mécanique en quelque sorte…

La BD est un autre plaisir qui se déguste seul. L'image du Japonais lisant compulsivement un manga porno dans le train a fait les délices des médias occidentaux qui y voient une illustration d'un Japon sadique et macho conforme sinon à sa tradition du moins à l'idée qu'ils s'en font. Le manga (littéralement « dessin léger ») est loin de n'être que cela. Né en marge de tout académisme mais vigoureuse manifestation de l'imagination collective, le manga connaît au Japon une diffusion ahurissante (40 % du marché de l'édition, livres et hebdomadaires compris). Chaque année plus d'un milliard de revues et d'albums sont mis sur le marché, soit au milieu des années 1990 un chiffre d'affaires de quelque 196,78 milliards d'euros, trois fois supérieur à celui des

LA TÉLÉVISION AVANT TOUT

En moyenne, les Japonais ont regardé la télévision 3 h 35 par jour en 2000, soit 7 minutes de plus que dix ans auparavant. 19 % des programmes sont des informations (42 % dans le cas de la chaîne nationale NHK), 39 % sont consacrées aux distractions et 25 % à la culture. Le Japon comptait en 2000 132 chaînes de télévision, dont cinq disposant de réseaux nationaux.
Le développement des émissions par câble et par satellite ont permis d'attirer un nouveau public vers le cinéma : certaines séries télévisées populaires font par exemple l'objet d'adaptations pour le grand écran.

DE GRANDS LECTEURS

Bien que les Japonais restent de grands lecteurs, le chiffre d'affaires de l'édition est en léger recul : 2 200 milliards de yens en 2003 (-3,6 % par rapport à l'année précédente). Sur ce total, environ 900 milliards concernent les livres et le reste les périodiques. En 2003, le Japon qui compte 4 500 éditeurs (dont beaucoup sont minuscules) a publié 72 000 titres tirés à 716 millions d'exemplaires. Sous l'influence des nouveaux réseaux de distribution et du développement d'Internet, le marché de l'édition se transforme rapidement, accentuant la tendance des grands éditeurs à concentrer leurs activités sur la publication plus rentable des périodiques (en particulier des bandes dessinées). Cette évolution se fait sentir sur les 23 000 librairies nippones (source : Bunka tsushin, 2001) : en 1999 beaucoup ont fermé. Les plus grandes (tel que Yaesu Book Center à Tokyo) peuvent proposer jusqu'à 400 000 titres.

Page de droite : Des lutteurs se présentent au public au début d'un tournoi.

cinémas. Bien qu'en légère régression au début des années 2000, les mangas sont encore l'une des principales formes de communication au Japon. Il existe des cafés à mangas où les murs tapissés de bibliothèques offrent au clients des dizaines de milliers de titres. Il y en a pour tous, enfants, adolescents, adultes, filles, garçons. Si certains véhiculent de la violence, du sexe et des fantasmes à l'encan, ils sont aussi un reflet des préoccupations et des goûts de la société, de ses frustrations et de ses colères, de ses passions comme de ses tendresses. Ils peuvent aussi être politiques, historiques, raconter des révoltes, des vies, servir des idéologies (comme récemment le courant négationniste), être pédagogiques, libertaires ou publicitaires. Bref, ils sont aussi un support privilégié d'information et sans doute le meilleur miroir de la société et de ses énergies populaires, traduisant avec une acuité décapante les mœurs contemporaines. L'industrie du manga alimente toute une industrie annexe : dessins animés, jeux vidéo, jouets. Partie du Japon, la « culture manga » a envahi le reste de l'Asie et maintenant du monde.

… en passant par le foot

Que font les Japonais lorsqu'ils ne font rien ? Eh bien, comme les autres peuples du monde qui bénéficient de loisirs, ils voyagent, vont à la pêche, font du ski, visitent des parcs à thèmes, regardent la télévision et des vidéos, vont aux spectacles et au concert, lisent, écoutent de la musique…
C'est au cours des années 1980, avec vingt ans de retard sur la France par exemple, que le Japon a basculé dans une économie fondée moins sur la production que la consommation et a commencé à être happé par l'industrie des loisirs. La réduction du temps de travail, l'adoption progressive de la semaine anglaise et les aspirations des jeunes générations ont concouru à cette évolution. Le temps libre a été largement converti en consommation de loisir avec pour conséquence une nouvelle dégradation de l'environnement : la construc-

tion effrénée de golfs, de complexes touristiques, de parcs à thèmes, d'aquariums pendant la période de bulle spéculative a bouleversé la vie de la flore et de la faune sauvages. En déclin, le golf, qui fut l'un des sports « populaires » de la période de Haute Croissance, attirait encore près de 14 millions de personnes en 1999, soit 11 % de la population. Symbole de statut social, lieu de rencontre informelle des milieux d'affaires ou de la politique, ce sport est dédaigné par la jeune génération qui lui préfère le ski, le surf, la plongée sous-marine.

En matière de hobbies, en 2000, 44 % de Japonais regardent des vidéos, 40 % écoutent de la musique, 34 % font du jardinage, 38 % jouent avec des jeux vidéo ou surfent sur l'Internet et 23,6 % (25,8 millions de personnes, plus que le nombre de ceux qui regardent des événements sportifs à la télévision…) vont au concert. Les Japonais ont un goût immodéré pour la musique occidentale. Dès 1937, l'archipel était le premier marché mondial du disque classique. Le Japon compte aujourd'hui des salles de concert jusqu'au fin fond des provinces dont certaines sont parmi les meilleures du monde et les plus grands noms de la musique s'y produisent chaque année. En 1997, Tokyo s'est, pour sa part, doté d'un nouvel et somptueux Opéra national et les organisateurs japonais n'hésitent pas à « démé-

220 KG ET DES POUSSIÈRES

En devenant en 1993 le premier étranger champion suprême de sumo (*yokozuna*), Akebono (d'origine hawaïenne), mastodonte de 2 mètres de haut et de 220 kg, avait fait trembler le monde de la lutte japonaise traditionnelle sur ses assises nationales. L'arrivée des Hawaïens dans le monde du sumo a surtout coïncidé avec un embonpoint inquiétant des lutteurs. La moyenne s'établit aujourd'hui à 153 kg alors qu'elle était de 140 kg dix ans auparavant. Longtemps, les muscles l'emportaient sur la graisse. Ce n'est plus le cas aujourd'hui. Cet empâtement généralisé augmente les risques de blessure : la surcharge sur les hanches et les genoux favorise les lésions. Il appauvrit aussi la technique de combat : l'obésité fait perdre de la vivacité.

DU FOOT, DU FOOT ET DES FILLES

Le récent succès du football au Japon est peut-être à mettre en rapport avec l'évolution générale du pays. Le foot japonais s'appuie sur un public mixte et non quasi masculin comme en Europe. Les filles viennent en bandes ou avec leur petit ami suivre les matches et admirer les joueurs considérés comme plus sexys, plus jeunes d'esprit et plus branchés que leurs homologues du base-ball. Ce sont les joueurs de foot qui ont lancé la mode des visages bronzés aux UV et des cheveux teints chez les garçons. Une récente campagne de publicité de la J. League pour assister aux matches de foot montrait presque exclusivement des visages de jeunes filles exprimant émotion, joie, angoisse ou rire au cours d'un match. Par ailleurs, le foot laisse, semble-t-il, plus de place à l'initiative individuelle et à la spontanéité dans le jeu collectif que le base-ball. Les médias en ont fait une métaphore du Japon d'aujourd'hui, qui se doit d'être moins collectiviste, plus spontané et plus original dans son fonctionnement qu'autrefois.

nager » l'opéra de Berlin ou la Scala de Milan avec solistes, chœurs, orchestres, machinistes et décors pour organiser des spectacles.

En matière de sport professionnel, le sport national est le base-ball (23 millions de spectateurs), suivi, mais de loin, par le football (6,3 millions). Le sumo, cette lutte à mains nues de deux mastodontes à demi nus qui remonte au temps des mythes, arrive derrière le catch avec 649 000 spectateurs en 2002. Les six tournois de sumo, retransmis à la télévision, sont suivis par des amateurs mais aussi un public invité par les entreprises qui patronnent la cinquantaine de « confréries » de lutteurs. Ceux-ci, adulés autrefois, sont encore aujourd'hui des stars. Mais s'attachent aussi aux lutteurs des qualités de courage et de persévérance dans un monde où seuls comptent les mérites de l'individu. « Tout ce que tu désires est dans ce cercle de combat », dit-on aux jeunes lutteurs. Et c'est sans doute cette concentration des énergies, conjuguée à la maîtrise technique et à la puissance des deux lutteurs, qui se traduisent soudain en une formidable et fulgurante empoignade qui fait la joie des connaisseurs.

Le « sport des dieux », comme on surnomme le sumo, était cependant au début des années 2000 en perte de vitesse. Il ne suscite plus le même engouement que par le passé et draine moins de spectateurs. Il a en outre été éclaboussé par des rumeurs diffusées par la presse populaire (tournois truqués) qui avait entamé son image de sport noble.

Les jeunes sont davantage attirés par un nouveau venu dans le sport professionnel : le football. La création d'un championnat professionnel, la J. League en 1993 puis la création d'une seconde division en 1999 et enfin la Coupe du monde 2002, organisée conjointement par le Japon et la Corée, ont consacré le statut du ballon rond dans l'archipel. Le football a aussi consacré une forte internationalisation du sport professionnel au Japon (l'équipe nationale est dirigée avant le Mondial de 2002 par le Français Philippe Troussier, beau-

Pour beaucoup, hommes ou femmes, la danse fait partie de leur jardin secret : on n'en parle ni à sa famille ni aux collègues. Dans une société où la retenue dans l'expression des émotions est de mise, la salle de danse est un lieu-parenthèse.
Loin du bureau et des siens, le petit salarié ou l'employée subalterne, le retraité ou la femme au foyer prisonnière d'une vie routinière font des rencontres qu'ils n'auraient jamais faites autrement : ils se parlent et se regardent et, pour quelques heures, ils se laissent emporter par leur imagination dans la ronde menée par la gouape aux cheveux gominés et la fille à la rose entre les dents.

coup de joueurs du championnat national sont étrangers tandis que les meilleurs internationaux japonais évoluent dans les championnats italiens ou anglais). Bien que le base-ball reste le sport national au Japon (la première équipe professionnelle a été créée en 1934), ses joueurs sont désormais talonnés en termes de popularité par les footballeurs chez les plus jeunes.
Depuis le milieu des années 1990, pour oublier la morosité économique ou simplement la routine quotidienne, les Japonais et les Japonaises de tout âge et de toute condition dansent. La danse est une nouvelle forme de sociabilité. L'engouement pour celle-ci a commencé avec le film de Suo Masayuki, *Danse, danse, danse*, sorti en 1997. Histoire d'un salarié à la vie morne qui un beau soir, ayant vu du train une silhouette de femme s'encadrer dans la fenêtre d'une école de danse, s'y inscrit. Sa vie va s'illuminer. Ce film a captivé l'imagination des Japonais, qui se sont mis à pratiquer cet art avec sérieux. Plus de 500 000 personnes prennent des cours et autant fréquentent d'innombrables salles de danse. Ils suivent des cours à la télévision et se perfectionnent avant de se lancer sur la piste, le torse en arrière et le bras tendu. Si la majorité des couples s'adonnent au cha-cha, au paso doble ou au sage tango continental, d'autres s'aventurent sur le registre sensuel et passionné du tango argentin et du flamenco.

Ci-dessus : Entrée d'une compétition de sumo à Osaka.

Mer du Japon

Corée du Nord

Corée du Sud

Hokkaidô

Sapporo

Hakodate

Nagano

TOKYO

Takayama

Honshû

Mt. Fuji Kamakura

Gifu

Kyôto

Kôbe Osaka

Hiroshima Nara Ise

Mt. Kôyā

Shikoku

Fukuoka

Océan Pacifique

Kyûshû

Okinawa

Orientation du Japon selon l'axe est/ouest,
le plus commun dans les représentations

Repères

———

Dans ces repères le lecteur pourra trouver
des informations de base : elles ne prétendent
nullement à l'exhaustivité, mais reflètent
les choix des auteurs et de l'éditeur.

Le Japon
en fêtes

Les plus connues sont répertoriées dans les dépliants du Japan Travel Bureau (office japonais du tourisme) :
- *janvier* : **Hadaka Matsuri** (« fêtes nues »), dans les temples Kokuseki-ji (Mizusawa, dép. d'Iwate) et Enzo-ji (Yanaizu, dép. de Fukushima) : au cours des ces fêtes les hommes sont revêtus simplement de *fundoshi*, un cache-sexe traditionnel
- *début février* : **Hi no Matsuri** (fête du feu), au sanctuaire Kumano Shingu, région de Kumano (dép. de Wakayama)
- *mars* : célébration d'un **culte phallique,** au sanctuaire Tagata à Komaki, près de Nagoya
- *mai* : **Aoi Matsuri**, à Kyoto
- *mai* : **Tango no sekku** (fête des enfants) : d'énormes carpes en tissus flottent dans le vent sur le toit des maisons (la carpe est le symbole de la force)
- *mai* : **Sanja Matsuri**, autour du temple Asakusa Kannon à Tokyo : la plus grande fête populaire de la capitale
- *mai* : **Hamamatsu Odakoage** (fête des grands cerfs-volants) à Hamamatsu (dép. de Shizuoka) : donne lieu à de spectaculaires batailles de cerfs-volants
- *juin* : **Tsugaru no itako bon** (fête des chamans) à Tsugaru (extrême Nord de Honshu)
- *juillet* : **Gion Matsuri**, à Kyoto, spectacle historique
- *juillet* : **Tanabata Matsuri**, Sendai (Nord de Honshu) : la fête des deux étoiles amoureuses qui ne peuvent se retrouver qu'une fois l'an
- *août* : **O-bon** (fête des morts) qui se déroule à travers tout le Japon avec des manifestations spéciales comme **Toronagashi** (fête des lanternes) : l'âme des morts, venue visiter les vivants, est censée repartir vers l'au-delà sur de minuscules radeaux munis d'une petite lanterne que l'on laisse dériver dans la nuit au fil des rivières. À Kyoto, O-bon est marquée par **Daimonji yaki** (fête du feu) où s'embrase l'idéogramme qui signifie « grand » au sommet d'une montagne
- *été* (*tous les trois ans*) : **Fête du quartier de Tsukudajima** à Tokyo
- *octobre* : **Jidai Matsuri** à Kyoto
- *octobre* : **Fête du temple Kishibojin** à Tokyo, doté de l'un des plus éblouissants ginkgos de la capitale (quartier de Zoshigaya, Toshima-ku)
- *décembre* : **Chichibu Yo-Matsuri** (fête de la nuit), à Chichibu (ville du département de Saitama, près de Tokyo) : donne lieu à l'un des plus grands rassemblements de marchands forains
- *décembre* : **Yuki Matsuri** (fête de la neige), à Sapporo marquée par la construction de monumentales sculptures de glace

Le Japon en films

(choix établi par Claudio Bisoni)

• *le Matin de la famille Osone,* Kinoshita Keisuke, 1946 : un excellent exemple de poésie et de réalisme social, mettant en scène des épisodes de la vie de certains travailleurs dans un contexte de grève.

• *Récit d'un propriétaire,* Ozu Yasujiro, 1947 : dans le cinéma d'Ozu, consacré à l'étude de la dynamique familiale, les grands thèmes d'actualité sont en filigrane. Ici, le monde des jeunes perdus de l'après-guerre, qui vagabondent sans famille dans un climat de violence.

• *Les Sept Samouraïs,* Kurosawa Akira, 1954 : un exemple de narration épique, qui relate la rencontre impossible entre deux cultures éloignées : celle du monde paysan humilié et opprimé par les pillages continus, et celle de la noble tradition guerrière des samouraïs.

• *La Harpe de Birmanie,* Ichikawa Kon, 1956 : allégorie pacifiste. Un soldat japonais choqué par les horreurs de la guerre en Birmanie échappe à l'internement dans un camp en se chargeant des soins mortuaires de ses compagnons tombés au combat.

• *Nuit et brouillard du Japon,* Oshima Nagisa, 1960 : la nouvelle effervescence, les mutations politiques et les mœurs des années 1960. Oshima offre également un portrait poético-politique de la jeunesse japonaise contestataire.

• *La Condition de l'homme,* Kobayashi Masaki, 1959-1961 : cette trilogie sur la guerre se concentre sur la description du conflit entre Chinois et Japonais en Mandchourie. Le metteur en scène, qui perçoit le climat de contestation du début des années 1960, utilise des tons crus et réalistes.

• *Hara-kiri,* Kobayashi Masaki, 1963 : le metteur en scène poursuit son propos démystificateur vis-à-vis de la tradition en montrant un groupe de guerriers devenus vagabonds. Au centre l'injustice et la cruauté d'un système féodal qui se prolonge dans la société contemporaine.

• *Rhapsodie en août,* Kurosawa Akira, 1990 : une femme âgée qui a survécu à l'explosion atomique raconte son expérience à des jeunes parents américains, tout en célébrant la valeur de la mémoire et du rapprochement entre les peuples.

• *Hana-bi,* Kitano Takeshi, 1997 : le film de Kitano est l'héritier d'une longue tradition des films sur les *yakuza*. Ici le parcours criminel du détective Nishi croise le thème de la solitude existentielle et de la maladie mortelle.

Le Japon
en livres

Les grands classiques
de la littérature
japonaise sont :
• *Le Dit du Genji*,
Murasaki Shikibu,
POF
• *Histoires qui sont
maintenant du passé*,
Gallimard
• Les poèmes de
Basho, maître de
haïku, POF
• Le théâtre de
Chikamatsu, POF
• Les romans de
Saikaku, POF,
Picquier
• *Contes de pluie et
de lune*, Ueda
Akinari, Gallimard.

D'innombrables
œuvres permettent de
découvrir divers
aspects du pays et de
son histoire récente.

Sur le tournant du
siècle et la première
partie du XXe :
• *Je suis un chat,
Botchan, Sanshiro,
Oreiller d'herbe*,
Natsume Soseki,
Gallimard, Picquier,
Rivages
• *Haut le cœur*,
Takami Jun,
Picquier

• *La Sumida,
Histoire singulière à
l'est du fleuve, Du
côté des saules et des
fleurs*, Nagai Kafu,
Gallimard, Picquier
• *Œuvres de Tanizaki
Junichiro*, Pléiade.
• *Chemin de
femmes,* Enchi
Fumiko, Gallimard
• *Récits de la paume
de la main*, Kawabata
Yasunari, LGF.

Sur la guerre :
• *Les Feux*, Ooka
Shohei, Autrement.

Sur les lendemains de
la défaite :
• *La Déchéance d'un
homme*, Dazai Osamu,
Gallimard
• *La Tombe des
lucioles*, Nosaka
Akiyuki, Picquier
• *Pluie noire*, Ibuse
Masuji, Gallimard
• *Opéra des gueux*,
Kaiko Ken, POF.

Sur l'époque
contemporaine,
outre les « classiques »
(Mishima Yukio,
Kawabata Yasunari,
Abe Kobo) signalons :
• *Mille ans de
plaisirs*, Nakagami
Kenji, Fayard

• *Chroniques de
l'oiseau à ressort*,
Murakami Haruki,
Seuil
• *Yoko*, Furui
Yoshikichi, Picquier
• *L'enfant de
fortune*, Tsushima
Yuko, Des Femmes
• *Le Jeu du siècle
etc*, Oe Kenzaburo,
Gallimard (Prix
Nobel 1994)
• *Jeu de famille,* Yu
Miri, Picquier.

Voici une bibliographie générale.

Ouvrages généraux :
• **Japon : le déclin ?** Jean-Marie Bouissou, François Gipouloux, Eric Seizelet, Complexe, 1995
• **Le Japon : la fin d'une économie**, Pierre-Antoine Donnet, Anne Garrigue, Gallimard, 2000
• **Japonaises, la révolution douce**, Anne Garrigue, Picquier, 1998
• **La Vie japonaise**, Anne Gonon, PUF, 1996
• **Un Pays en mal d'enfants, crise de la maternité au Japon**, Muriel Jolivet, La Découverte, 1993
• **Japonoscope**, Claude Leblanc, Ilyfunet (publication annuelle)
• **Dictionnaire de la littérature japonaise**, Jean-Jacques Origas, (dir.), PUF, 2000
• **Tokyo, extravagante et humaine**, Donald Richie, Autrement, 2000
• **L'État du Japon**, Jean-François Sabouret, (dir.), La Découverte, 1995
• **Les Religions au Japon**, René Sieffert, POF, 2000.

Ouvrages spécialisés :
• **Cent Ans de pensée au Japon**, Yves-Marie Allioux (dir.), Picquier, 1996
• **Le sauvage et l'artifice, les Japonais devant la nature**, Augustin Berque, Gallimard, 1986
• **Du geste à la cité, Formes urbaines et lien social au Japon**, Augustin Berque, Gallimard, 1993
• **La Maison Yamazaki**, Laurence Caillet, Plon, 1991
• **Geisha**, Liza Dalby, Payot, 1985
• **Yosano Akiko, poète de la passion et figure du féminisme**, Claire Dodane, POF, 2000
• **Le Bouddhisme**, Bernard Faure, Liana Levi, 1997
• **Histoire de la littérature japonaise**, Shuichi Kato, Fayard, 1986
• **La Mort volontaire au Japon**, Maurice Pinguet, Gallimard, 1984
• **D'Edo à Tokyo, mémoires et modernités**, Philippe Pons, Gallimard, 1988
• **Misère et crime au Japon du XVIIe siècle à nos jours**, Gallimard, 1999
• **Peau de brocart, le corps tatoué au Japon**, Phillippe Pons, Seuil, 2000
• **Femme du Japon**, Christine Shimizu, Imprimerie Nationale, 1997
• **Le Monde à l'envers, la dynamique de la société médiévale**, Pierre-François Souyri, Maisonneuve et Larose, 1998
• **Le Zen dans la guerre**, Brian Victoria, Seuil, 2001
• **Le Japon et le monde au XXe siècle**, Michel Vié, Masson, 1995
• **Littérature japonaise contemporaine**, Patrick de Vos (dir.), Picquier, 1989.

Revues spécialisées :
• **Cipango**, **Ebisu**, **Daruma**.

Le Japon
en dates

• **IIIe millénaire
av. J.-C.** : Apogée de
la civilisation
protohistorique
Jomon.
• **IIIe siècle av. J.-C.** :
Début de la période
Yayoi : introduction
de la riziculture
inondée.
• **Vers 230** : Selon
les chroniques
chinoises, le Japon
serait dominé par une
reine Himiko aux
attributs religieux
(prêtresse chamane ?).
• **Vers 530** :
Introduction du
bouddhisme au Japon
par l'intermédiaire de
la Corée.
• **645** : Réforme
politique Taika
introduisant les
principes de
gouvernement en
vigueur en Chine aux
époques Sui et Tang.
• **710** : Fondation de
Nara, première
capitale fixe du pays.
• **794** : fondation
d'une nouvelle
capitale à Heian
(Kyoto).
• **Début du XIe
siècle** : Murasaki
Shikibu, dame de la
Cour, rédige *Le Dit du
Genji*, chef-d'œuvre
de la littérature
japonaise.
• **1185** : Minamoto
Yoritomo, suzerain des
guerriers, fonde le
régime des *shogun* à
Kamakura, dans l'Est
du pays.
• **1274** et **1281** :
Tentatives de
débarquement
mongol à Kyushu. Par
deux fois, les navires
de l'agresseur sont
détruits par des
tempêtes, qualifiées
de *kamikaze* (vents
divins).
• **1467-1477** : Kyoto
ravagée par les guerres
seigneuriales. Début
de l'anarchie politique
et montée des
seigneurs de la guerre.
• **1543** : Arrivée des
Portugais dans
le Sud du Japon ;
introduction du fusil.
• **1549** : Saint
François Xavier
commence à prêcher
le christianisme à
Kagoshima.
• **1573** : Un seigneur
de la guerre, Oda
Nobunaga, chasse
le dernier shogun
de Kyoto et
commence la
réunification du pays.
• **1590** : Hideyoshi
continue l'œuvre de
Nobunaga et réunifie
le pays sous sa coupe.
• **1603** : Ieyasu fonde
une nouvelle dynastie
shogunale et installe
sa capitale à Edo.
• **1637** : Les
Portugais chassés du
Japon, le
christianisme interdit.
Début de la période
de fermeture du pays,
seuls les Hollandais
sont tolérés à
Nagasaki.
• **Vers 1700** :
Apogée d'une
civilisation bourgeoise
centrée sur Osaka.
• **Vers 1800** : Edo
prend le pas sur Osaka
du point de vue de
l'influence culturelle
et *shitamachi*, la ville
basse, devient le
centre d'une culture
plus plébéienne.
• **Vers 1830-1840** :
Apparition des
premières
manufactures textiles
à Osaka.
• **1853** : Arrivée des
« bateaux noirs » de
l'amiral Perry
exigeant l'ouverture
du Japon.
• **1858** : Signature de
traités inégaux avec la
plupart des grandes

puissances occidentales.

• **1867-68**: Effondrement du régime shogunal d'Edo et restauration d'une monarchie impériale.

• **1881-1884**: Agitation menée par le Mouvement pour la liberté et les droits du peuple, en faveur d'une démocratisation des institutions représentatives.

• **1890** : Le Japon est le premier pays d'Asie à se doter d'une constitution et d'un parlement.

• **1905** : Le Japon, vainqueur de la Russie, est le premier pays non occidental à vaincre une puissance européenne avec une technologie moderne.

• **1910** : Annexion de la Corée.

• **1925** : Suffrage universel masculin.

• **1931** : Le Japon envahit la Mandchourie.

• **1937** : Début de la guerre d'agression contre la Chine.

• **1941** : Début de la guerre du Pacifique après l'attaque de Pearl Harbor.

• **1945** : Bombardements atomiques sur Hiroshima et Nagasaki.

• **1946** : Le droit de vote est accordé aux femmes.

• **1947** : Adoption de la constitution actuelle.

• **1952** : Fin de l'occupation américaine.

• **1960** : Reconduction contestée du traité de sécurité nippo-américain.

• **1964** : Les Jeux olympiques de Tokyo, premiers JO en Asie.

• **1969** : Le Japon devient la deuxième puissance économique mondiale, son PNB dépasse celui de l'Allemagne fédérale.

• **1972** : Normalisation des relations avec la Chine.

• **1985-1992**: Période dite de la « bulle financière ».

• **1995** : Le Premier ministre socialiste Murayama présente les excuses du Japon pour l'invasion de l'Asie lors du cinquantenaire de la fin de la guerre.

• **1992-2004**: Le pays entre dans une période de ralentissement économique.

Le Japon en chiffres

(source : *Facts and Figures of Japan*, 2004)

TERRITOIRE

L'archipel japonais comporte quelque 6 000 îles s'étendant du nord au sud sur 3 300 kilomètres. Tokyo est à la latitude d'Athènes. Situé au carrefour de quatre plaques tectoniques, l'archipel nippon est une des régions au plus haut risque sismique du monde. En 1995, le tremblement de terre dans la région de Kobe-Osaka fit 6 400 morts. Le Japon est en outre chaque année frappé par des typhons.

Superficie : 377 873 km²
Découpage administratif : 47 départements
Point le plus haut : Mont Fuji, 3 776 m
Voies ferrées : 20 059 km en 2003
Routes : 1 146 092 km et 7 343 km d'autoroutes

POPULATION

127 millions d'habitants en 2003
Nombre d'étrangers : Environ 1,8 million dont 625 000 Coréens
Densité : 336 habitants par km²
Taux de natalité : 1,3 enfant par femme
Espérance de vie : 78 ans pour les hommes et 85 ans pour les femmes
Familles : 46,7 millions en 2000
Plus de 65 ans : 7 % en 1970 ; 19 % en 2000

TRAVAIL

Population active : 66 millions dont 41 % de femmes en 2003
Occupation par secteurs : 4,6 % dans le primaire, (agriculture et pêche), 28,3 % dans le secondaire (industrie), 67,1 % dans le tertiaire (services)
Taux de chômage : 5,3 % en 2003 (en augmentation régulière depuis le milieu des années 1990 où il était inférieur à 3 %)
Heures de travail : 1 850 heures par an en 2003 (y compris les heures supplémentaires). Depuis 1999, les Japonais travaillent en moyenne 37,5 heures par semaine. En 1999, 33,4 % des entreprises pratiquaient la semaine de cinq jours.
Taux de syndicalisation : 21 %

ÉCONOMIE

Produit intérieur brut : 3 990 milliards de dollars en 2002 (deuxième économie mondiale après les États-Unis)
Revenu par habitant : 31 300 dollars, ce qui le plaçait en 2002 légèrement derrière les Etats Unis et devant l'Union européenne
Taux de croissance : Après une forte expansion des années 1960 au début de la décennie 1990, le Japon est entré dans un crise économique dont il peine à se dégager. Après avoir connu une croissance négative en 1998, il est à nouveau entré en récession en 2001.

Le Japon en mots

Ce glossaire reprend la transcription japonaise officielle

ai : amour, affection

apaato : petits logements modestes

asobi : amusement, délassement, plaisir

bentô : casse-croûte en général présenté dans une boîte

burakumin : descendant des anciens parias

chadô : voie du thé (cérémonie du thé)

chû : fidélité

combini : supérettes de quartier

danchi : grands ensembles de type HLM

enjoist : femmes au foyer qui se distraient

enka : chansons japonaises traditionnelles

furiitaa : travailleurs temporaires mais diplômés

furusato : pays natal

gaijin : étranger

haiku : poème en 17 syllabes

iki : panache discret

jin : bienveillance

jinja : sanctuaire shinto

kaiseki : grande cuisine traditionnelle

kabuki : théâtre bourgeois de l'époque prémoderne

kami : divinité

kannushi : desservant d'un sanctuaire shinto

karôshi : mort par excès de travail

karyûkai : « monde des fleurs et du saule », monde frivole

kata : forme, moule, figure

koi : amour-passion

kokoro : cœur, âme

kokugaku : mouvement nativiste des études nationales

mama-san : patronne de bar ou de restaurant

manga : bande dessinée

manshon : appartement luxueux

matsuri : fête religieuse shinto

meisho : lieu célèbre

mikoshi : autel portatif

mingei : artisanat populaire

nihonjin-ron : « japonologies »

nomiya : estaminet

omiai : mariage par arrangement

onsen : sources thermales de détente

otaku : « accro » aux jeux vidéo

raamen : bol de nouilles à la chinoise

sekuhara : version japonaise du harcèlement sexuel

sento : bains publics de quartier

seppuku : suicide rituel par éventrement

shinkansen : nom du TGV japonais

shitamachi : ville basse

shôchû : alcool de patate douce

shôgun : suzerain des guerriers

soba : nouilles au sarrasin

sushi : poisson cru présenté sur une barquette de riz

tennô : empereur

tofu : pâté de soja

torii : portique à l'entrée d'un sanctuaire

yakuza : nom que se donnent les gangsters japonais

yamabushi : ermite des montagnes

yamanote : ville haute

Index des sujets

Achevé d'imprimer en avril 2005
par Artegrafica S.p.A. - Verona - Italie